THE UNIVERSITY OF CHICAGO PRESS
CHICAGO, ILLINOIS

THE BAKER & TAYLOR COMPANY
NEW YORK

THE CAMBRIDGE UNIVERSITY PRESS
LONDON

THE MARUZEN-KABUSHIKI-KAISHA
TOKYO, OSAKA, KYOTO, FUKUOKA, SENDAI

THE MISSION BOOK COMPANY
SHANGHAI

The University of Chicago Italian Series

GIACOSA
TRISTI AMORI

EDITED BY

RUDOLPH ALTROCCHI, PH.D.

*Assistant Professor of Romance Languages
in the University of Chicago*

AND

BENJAMIN MATHER WOODBRIDGE, PH.D.

*Assistant Professor of Romance Languages
in the Rice Institute*

WITH AN INTRODUCTION BY

STANLEY ASTREDO SMITH, M.A.

*Assistant Professor of Romanic Languages in
Leland Stanford Junior University*

THE UNIVERSITY OF CHICAGO PRESS
CHICAGO, ILLINOIS

Composed and Printed By
The University of Chicago Press
Chicago, Illinois, U.S.A.

AUG 31 1920

©Cl.A597253

PREFACE

The text of this edition of *Tristi amori* is taken from that of the current edition published by the Fratelli Treves, of Milan, who have, together with the heirs of Giacosa, kindly given their consent to our use of this text.

The Fratelli Treves publish also the current editions of most of the other plays by Giacosa mentioned in the Introduction.

E. H. W.

D C b ?

TABLE OF CONTENTS

INTRODUCTION

No other Italian dramatist of the second half of the nineteenth century responded to so many influences as did the author of *Tristi amori,* and in no other is the response at the same time so sympathetic and so original. Romanticism and realism, history and pure fancy, rollicking comedy and poignant tragedy, golden dreams and unerring psychological analysis—all this we find in his plays; but they are pervaded by a genial understanding and by a spirit of mental and moral rectitude that give them a strong inner unity.

Giuseppe Giacosa was born at Colleretto-Parella, near Ivrea in the valley of Aosta, on October 21, 1847. He died at the same place on September 2, 1906. His simple and uneventful life was devoted to his work, to his family, and to his friends.

He grew up in a cultured home, the attractiveness of which was enhanced by the beauty of its natural surroundings. He always remained under the spell of his native valley and of the sunny, verdant Canavese region, so rich in history and legend, whose ancient fortresses from their rugged peaks still frown upon the rushing torrents beneath.

Though his interests were literary, he was sent to the University of Turin to study law. He finished his course and took his degree, but his first appearance in court proved a fiasco, and he soon devoted himself to more congenial labors.

In March, 1872, he published in the *Nuova Antologia* a dramatic legend entitled *Una partita a scacchi.* This is a brief romantic tale in martellian verse, dealing with a medieval theme. Though not originally intended for the

1

stage, it was presented with great success at Naples on April 30 of the following year, and was applauded from one end of Italy to the other during the months that followed. Just two years later Giacosa won a second success with another dramatic legend, *Il trionfo d'amore*, of very much the same general character as its predecessor. These two plays, unlike the majority of neo-romantic dramas, are charming in their freshness and grace, though the picture of medieval life which they present is somewhat shadowy and indefinite. *Una partita a scacchi* might be described as an idyllic poem cast in dramatic form. *Il trionfo d'amore*, with less lyric beauty, marks a step forward in motivation and in analysis of character and passion.

Meanwhile, Giacosa had written a number of other plays which did not share the success of the two that have been mentioned. The earliest of all, antedating *Una partita a scacchi*, is a little sketch called *Al pianoforte*, composed in 1870. Others of the same period are *Storia vecchia* (1872), *Sorprese notturne* (1875), two or three *proverbi* (light comedies with proverbs as titles), and four social dramas, these last so completely unsuccessful that they were never published.

Long before Giacosa began to write, the type of social comedy inaugurated in France by Augier and the younger Dumas had made its influence felt in Italy. A number of the plays of Paolo Ferrari (1822–89), the most prominent Italian dramatist of the generation preceding that of Giacosa, are strongly marked by this influence. It was therefore natural that Giacosa should try his hand at the same sort of work. His early failures show that, at the outset of his career, he was a better poet than dramatist. Recognizing his limitations, he allowed several years to pass before he again attempted the serious realistic drama. During that time, however, he did not remain idle.

In February, 1876, he brought out at Rome a successful light comedy, *Acquazzoni in montagna*. This piece, rich in comic situations, reminds one strongly of the best work of Labiche. The humor is not external, but results directly from the foibles of the characters themselves.

The autumn of 1877 saw the staging of two excellent plays, *Il marito amante della moglie*, produced in September at Milan, and *Il fratello d'armi*, produced in October at Turin. Both of these plays are in martellian verse, and both are romantic, but they have little else in common. *Il marito amante della moglie* is sprightly, playful, and sparkling with witty dialogue. Its romanticism is of the whimsical type found in certain pieces of Alfred de Musset, and it is suggestive of both Musset and Marivaux in its delicate psychology.

Il fratello d'armi, on the other hand, is a tragic drama of exaggerated ideals and excessive passions. It tells of two men of the thirteenth century, joined by the tie of "brotherhood at arms," a tie stronger than that of blood. This tie leads one of the two to fight for the other against his own people, and, finally, to sacrifice his own life rather than to betray the man to whom he is thus bound, even after the latter has forfeited his claim to such magnanimity by allowing suspicion and jealousy to come between them. This, the most typically romantic of all Giacosa's plays, gives us a more clear-cut picture of medieval life than we find in either of the two early dramatic legends. Here, too, Giacosa succeeds in expressing convincingly passions that are human in spite of their violence, and in making us feel more than once the pathos and tragedy of life itself. He reaches in this play a level of dramatic seriousness which he had not previously attained.

Il fratello d'armi was followed by *Luisa*, presented for the first time at Milan in February, 1879. This is a re-working,

in martellian verse, of the author's *Teresa*, one of the unsuccessful social plays already mentioned. Luisa, the heroine,
commits suicide in order to save her lover from the vengeance
of her husband, who is a reprobate of the worst type. The
play won only a qualified success, the dénouement being,
from the first, severely criticized. The fatal network of
circumstance is, however, so woven about the hero and
heroine as to render their actions highly plausible from
beginning to end. The play discloses minor defects of technique, and is overemphatic in spots; but it contains some
really good character portrayal, and it marks another step
forward in our author's dramatic career in that it consti-
tutes the first definite evidence of his ability to treat suc-
cessfully the serious drama of modern life.

With his next play, *Il conte rosso*, produced in June, 1880,
we are again carried back to the Middle Ages, but this time
we have a genuine historical drama. It is significant that
the dreamy martellian verse is here replaced by the more
nervous, decisive hendecasyllable. The scenes place before
us various episodes in the life of Amadeus VII, Count of
Savoy, and the time extends over eight years, 1383–91.
The piece possesses unity of action, nevertheless, for it is
centered upon the struggle of a high-minded though vacil-
lating son with a strong-minded and unscrupulous mother,
a struggle in which the son, constantly deterred from action
by filial respect and by the desire to preserve at all costs
the honor of his family name, is finally vanquished. While
the piece is constructed on romantic lines and contains
certain romantic episodes, it is, for the most part, free
from romantic exaggeration. Giacosa gives us here a vivid
picture of the political life of Savoy and Piedmont at the
end of the fourteenth century, with its tragic, comic, and
pathetic shades; and in this frame he sets a drama of human

passions as true to modern as to medieval life. To the present writer this seems the best of those plays of Giacosa that may be characterized as romantic or historical.

Within the interval extending from the appearance of *Il conte rosso* to that of *Tristi amori* fall several plays, most of which may be dismissed with brief comment. To the year 1883 belong *Il filo*, an amusing little sketch for marionettes, in martellian verse; *La zampa del gatto*, a modern social comedy full of fun and skilfully constructed around an intensely dramatic situation; and *La sirena*, a brief play in martellian verse, which with the hackneyed romantic motif of a frail young girl who has died of love combines good analysis of passion and of character. A social drama entitled *L'onorevole Ercole Mallardi*, given at Milan in January, 1885, failed to excite enthusiasm. Re-worked and represented just three years later at Rome under the title *Un candidato*, the play met with a favorable reception. It has never been published, however, in either form. *La tardi ravveduta* is a comedy in martellian verse of the same general type as *Il marito amante della moglie*. *Resa a discrezione* is a social play of rather more importance than those just mentioned. It is, on the whole, a well-constructed piece, although the hero is not altogether satisfactory as champion of the ideal of high-mindedness and seriousness of purpose which Giacosa here opposes to the unhealthy frivolity of the heroine. The social criticism is none the less skilfully combined with the drama of passion, which is itself excellently worked out.

Tristi amori, first produced at Rome during the Lenten season of 1888, is, in many respects, Giacosa's masterpiece. It is certainly the most closely knit and the best balanced of all his plays. In it he has achieved the all but impossible task of giving a sane, wholesome, and, at the same time, intensely dramatic treatment to the well-worn, or ill-worn, "triangle" theme. Furthermore, he has accomplished this with a remarkable simplicity. The setting of the play could scarcely be more commonplace, and certainly no plot could be freer from obtrusive complications and technical devices. The situations are logically and naturally motivated, and the words and acts of the participants in the drama are fully justified by situation and by character. Nothing is in the remotest degree sensational or rhetorical. The piece is characterized by the strictest economy in dramatic construction.

It is of interest to note that the play embodies a strict observance of the classic rule of the unities. All three acts take place within a single room in a period not exceeding nine or ten hours. Some critics have quibbled as to the unity of action, asking whether the main subject of the drama is the "hapless love" of Fabrizio and Emma or the domestic infelicity of Giulio. As a matter of fact, the husband, wife, and lover all occupy the center of the stage, and the subject is the triple tragedy to which their relations give rise. We cannot separate the fate of any one of them from the fate of the other two.

The materials that Giacosa has used are, of course, not new, but the skill and the restraint with which he has used them give the play an indisputable claim to originality. Certain resemblances cannot fail to strike us when we compare this work with Giacosa's own *Luisa*, with Emile Augier's *Gabrielle* (1849), or with *le Supplice d'une femme* (1865), by Dumas fils and Emile de Girardin. Externally, the ending of Act I of our play is nearly identical with that of the first act of the younger Dumas' *Question d'argent* (1857). None of these parallels, however, has any real significance. That Giacosa may unconsciously have used motifs and incidents that must have been familiar to him through his reading is, of course, quite probable, but that is all that we can affirm with safety.

Plainly discernible, however, is the influence of the age to which the play belongs. When *Tristi amori* was produced, naturalism had established itself both in French and Italian literature. First definitely formulated by Zola, the new doctrine, after having been widely applied in the novel in France, had found dramatic expression in the works of Henri Becque (*les Corbeaux*, 1882; *la Parisienne*, 1885). In Italy, the first definite application and formulation of the naturalistic doctrine, there known as *verismo*, are due, curiously enough, to a lyric poet, Olindo Guerrini. The hostile criticism aroused by his *Postuma* (1877) led him to write for his second volume of verse, *Nova polemica* (1878), a preface which may be looked upon as the manifesto of Italian naturalism. Next expressed in the novel and in the short story, the formula was finally applied to dramatic literature in Verga's *Cavalleria rusticana* (1884), the dramatization of a somewhat earlier short story by the same author.

The main elements of the naturalistic formula as applied to the drama are, of course, familiar. It reduces a play to the proportions of a mere *tranche de vie* or to a series of *tranches de vie;* it insists upon an absolutely objective representation of reality, unobscured by moral or sentimental preoccupation; it dispenses with all rhetoric and with all artificiality.

Tristi amori complies with these requirements. Some critics have argued that it betrays a certain moral preoccupation on the part of the author in that he has insisted on providing a partially satisfactory future for the Scarli family. It is interesting to recall in this connection that the dénouement caused the failure of the play on the occasion of its first presentation in Rome, and that even at Turin, where it was presented several months later with great success, the critics noted that the ending left many unconvinced. But the terrible words "queste cose non finiscono . . . . si trascinano disperatamente," and the continued torment they suggest, are at once utterly tragic and, in the premises, utterly inevitable.

From the generality of modern dramatic treatments of the "triangle," *Tristi amori* differs in that its important characters, thoroughly human and thoroughly interesting, possess no claim to distinction as heroes, rogues, victims, egotists, or singular products of a corrupt civilization, and in that its moral atmosphere is healthy without being clouded by didactic preoccupation. It reveals to us an outlook upon life that is not characterized by the anti-social individualism of the romanticists, nor by the blatant defense of society found in so many "thesis plays," nor by the sterile cynicism common to most naturalistic dramas. It is this cynical attitude of the naturalists, coupled with their mania for pursuing the singular and the local, that has led them so often to choose as the objects of their study portions of humanity in which the evil so far outmasses the good that the good serves only to make the evil stand out in a more glaring light. Their art is no more objective, in the broadest sense of the word, than is the art which is inspired by an excessive idealism. True objectivity implies the power to view things in a serene and unbiased manner, the power "to see life steadily and to see it whole." This, in *Tristi amori*, Giacosa has achieved. The play leaves upon us an impression of infinite sadness, but it does not revolt us. As the curtain falls, we feel that life has intensely tragic possibilities, but we do not feel that the world is peopled exclusively by monsters, cads, and fools. We have witnessed the sin and the suffering of human beings, and we have suffered with them.

wrote numerous articles for newspapers and magazines, and delivered many lectures and addresses, some of which are collected in a volume published at Milan in 1909, entitled *Giuseppe Giacosa—Conferenze e discorsi*.

STANLEY ASTREDO SMITH

BIBLIOGRAPHY

I. Cappa, Preface to *Giuseppe Giacosa—Conferenze e discorsi*, Milan, 1909.

C. Corradini, *Poeti contemporanei*, Turin, 1879, pp. 175–215.

B. Croce, "Giuseppe Giacosa," in *La Critica*, VI (1908), 1–17, and in Croce's *La letteratura della nuova Italia*, Bari, Vol. II, 1914, pp. 213–30.

J. Dornis, *le Théâtre italien contemporain*, Paris, 1904, pp. 132–66.

La Lettura, VI, No. 10 (October, 1906). A memorial number, containing several articles on Giacosa.

L. MacClintock, *The Contemporary Drama of Italy*, Boston, 1920, pp. 35–61.

A. McLeod, *Plays and Players in Modern Italy*, Chicago, 1912, pp. 68–78, 222–23.

M. Muret, *la Littérature italienne d'aujourd'hui*, Paris, 1906, pp. 35–57.

U. Ojetti, "Giuseppe Giacosa," in *Nuova Antologia*, CCX (1906), 217–25.

S. Sciuto, *Giuseppe Giacosa e la sua opera*, Acireale, 1910.

S. A. Smith, "Giuseppe Giacosa," in *The Drama*, No. 10 (May, 1913), 5–31.

L. Tonelli, *L'evoluzione del teatro contemporaneo in Italia*, Milan, 1913, pp. 57–72, 241–54, 317–18.

I. Toscani, *Giacosa*, Florence, 1910 (in the series *Collana biografica universale*).

E. and A. Updegraff, Preface to Giacosa, *The Stronger, Like Falling Leaves, Sacred Ground*, New York, 1913.

TRISTI AMORI

Commedia in tre atti in prosa

PIETRO COSTA[1]

SCULTORE

Giuseppe Giacosa

PERSONAGGI

L'Avvocato[1] GIULIO SCARLI
La signora EMMA[2]
Il Conte ETTORE ARCIERI
L'Avvocato FABRIZIO ARCIERI
Il Procuratore RANETTI
GEMMA, bambina di 5 anni
MARTA, domestica

———

La scena in una piccola Città di provincia

ATTO PRIMO

Sala da pranzo in casa dell'avvocato Giulio[1]

SCENA PRIMA

Emma e Fabrizio

Emma *siede davanti al caminetto, pensosa.* Fabrizio
entra dallo studio,[2] *si guarda attorno,*[3] *viene non avvertito
fin dietro di lei, le prende la testa fra le mani,*[4] *la rovescia
verso di sè e la bacia sulla bocca.*

Emma.   Mi fai morire![5]   5

Fabrizio.   Dimmi che mi ami; dammi il buon
giorno con una parola d' amore! Dimmi che mi ami.

Emma.   Ti amo.

Fabrizio.   Dimmelo ancora.[6]

Emma.   Ti amo, ti amo, ti amo! Sei venuto, sono   10
contenta.

Fabrizio.   Non mi aspettavi?

Emma.   Ti aspetto sempre![7]

Fabrizio.   Stamane non dovevo venire così presto
in studio. I passi mi ci hanno portato.[8] Ogni giorno   15
mi dico: non l'ho mai amata tanto! Sono salito.
Non speravo di vederti, volevo essere un momento
nella casa ove tu sei. Ma poi Giulio discorreva nel
suo gabinetto, non s' è accorto di me: ho sentito[9] qui
il tuo passo tranquillo e lento.... Come sei bella.   20

Emma.   Mi vuoi bene?

FABRIZIO.　Ti amo.

EMMA.　Mi vuoi anche bene?[1]

FABRIZIO.　Come facevo a vivere quando non ti amavo?

5　　EMMA.　Mi vuoi anche bene?

FABRIZIO.　Lo sai.

EMMA.　Rispondi.　Quando poi tu sei uscito, le tue parole restano qui.　Tu hai gli affari che ti distraggono, le mie faccende mi lasciano andar via colla mente e

10　ascoltare la memoria.[2]　Quando sono sola ti lascio dire, ti lascio dire,[3] come facevo con te quella sera lassù in montagna che tu avesti paura del mio silenzio e io mi godevo la tua voce.　Ma pensa!　Tutta la giornata! Bisogna dirmi tante cose che me ne resti,[4] e: tante cose

15　vuol poi dire una cosa sola, non è vero?　e ripeterla mille volte come un' orazione.[5]　Vai già via?

FABRIZIO.　Per forza[6]—sono salito in furia, non mi posso trattenere.

EMMA.　Ti rivedrò oggi?

20　FABRIZIO.　Non so, spero.[7]

EMMA.　Lo sai che non sono viva quando tu non ci sei.　Stasera?

FABRIZIO.　Sì: ogni sera uscendo mi prometto di non tornarci mai più e poi la mattina comincio a contar

25　le ore.　Non potrei non venire,[8] ma è un tormento!

EMMA.　E per me!

FABRIZIO.　Tu puoi tacere: sei lì china sul tuo lavoro, mi senti vicino, mi ascolti parlare e puoi tacere e

pensare. Io devo discorrere con Giulio, badare a quello
che mi dice, sorridere, ridere, e intanto sento il tuo
sguardo e il tuo respiro che mi fanno raccapricciare![1]

EMMA. Ti ricordi prima?[2] Che sere! Quante
cose dicevano tutte le parole! Tu lodavi la stagione e   5
ti sentivo dirmi il tuo amore e ti dicevo il mio parlando
della casa.[3]

FABRIZIO. Anche ora.

EMMA. Sì: ma con tormento.—Che sarà di noi?[4]

FABRIZIO. Non pensiamo. Domenica da tuo zio?[5]   10

EMMA. Sì.

FABRIZIO. Ti voglio anche bene.[6]

EMMA. Sì.

FABRIZIO. Ma ti amo anche tanto!

EMMA. Sì.   15

FABRIZIO. Marta non è in casa?

EMMA. No.

FABRIZIO. Allora esco di là[7] che Giulio non mi
veda. Addio.

Via. 20

SCENA SECONDA

EMMA *poi* GIULIO

Un silenzio. EMMA *prende certe stoviglie*[8] *che sono
sulla tavola di mezzo e le mette nella credenza.*[9]

GIULIO. Emma, c'è di là[10] Ranetti; gli ho offerto
il vermouth.[11]

EMMA.   Vedi[1] che non ho finito di assestare.

GIULIO.   Ranetti vede di peggio a casa sua.

EMMA.   Lasciami levare quei panni dal fuoco.

GIULIO.   Perchè? Dove c'è bambini si sa![2]   Il
5 vermouth è qui nell'armadio?

EMMA.   Sì.

GIULIO *apre l'armadio, prende una bottiglia e il
cavatappi mentre Emma ripone le stoviglie.* Ranetti
mi ha portato il mio dividendo nella liquidazione dei
10 molini. Abbiamo venduto con un profitto insperato.
Ranetti è un diavolo per queste cose![3] Indovina
quanto mi tocca.

EMMA.   Non so.

GIULIO.   Undici mila lire.   Non dici nulla?

15 EMMA.   Che devo dire?

GIULIO.   Già, tu non sai il valore del denaro.
Quando tre anni fa sono entrato per tre mila lire
nell' affare dei molini tu me ne sconsigliavi. Quei
denari volevi metterli ad abbellire la casa.

20 EMMA.   Sono una sciupona.[4]

GIULIO.   Ti dico questo per scusarmi di avere avuto
giudizio.

Vedendo che Emma prepara due soli bicchieri.
Due bicchieri soli?

25 EMMA.   Io non ne piglio.   Faccio economia.

GIULIO.   Sei ingiusta.

EMMA.   Hai ragione, perdonami, ma mi farebbe
male. E poi ho da fare di là.

Giulio. Rimani un momento. Ranetti ha piacere
di salutarti. Lo chiamo ?[1]

Emma. Chiamalo.

Giulio *verso lo studio*. Ranetti.

SCENA TERZA

Ranetti[2] *e detti*[3]

Ranetti *di dentro*. Eccomi. Come sta madama?[4]   5

Emma. Bene, e lei ?

Ranetti. Ho incontrato la sua bambina ora per
strada. Gemma la chiamano eh ?

Emma. Sì.

Ranetti. Emma la madre, Gemma la figlia.   10

Giulio. Volevo chiamarla collo stesso nome di
mia moglie. Essa non ha voluto dicendo che faceva
confusione: allora ho aggiunto un G.

Ranetti. L'iniziale del tuo nome. E che bambinona prosperosa! Marta stentava a tenerle dietro. 15
Va già a scuola ?

Emma. No. Ha cinque anni. La mando con
Marta a far la spesa per farla camminare un po'.
Io non trovo mai tempo di uscire la mattina.

Ranetti. Si sa! una casa!   20

    A Giulio che gli offre il vermouth.
Madama prima.

Emma. Grazie, non ne piglio.

RANETTI. Le dà alle gambe? Alle signore il vermouth dà alle gambe. A me le rinforza e ne ho di bisogno. Sono in piedi da ieri mattina.[1]

EMMA. Come va?[2]

5   RANETTI. Non sa che stanotte c'è stato il ballo grande al circolo?

GIULIO. Chi lo direbbe il più attivo e solerte dei procuratori? Balla tutta la notte.

RANETTI. E sgobba tutto il giorno. Madama non
10 mi domanda nemmeno come è andato?

EMMA. Com'è andato?

RANETTI. È andato male. Oramai al circolo non si può più ballare.

A Giulio.

15 Son venuto ànche per parlarti di questo.

GIULIO. A me?

RANETTI. Non sei tu il presidente? È la solita storia. Noi paghiamo, gli ufficiali se la godono[3] e ci sbeffeggiano. Il tenente dei carabinieri[4] balla cogli
20 speròni. Ieri sera ha fatto un sette[5] nell'abito della signora Pastôla, che ci passava il mio cappello.[6] Pastôla vuol mandargli il conto. L'altra sera strepitavano che essi vengono in spalline, che noi si doveva andare[7] in marsina.[8] Almeno al ballo grande dicevano. Sono
25 andato in giacchetta e dirigevo io.[9] La legge in paese ce la devono fare[10] i forestieri? Le ragazze non hanno occhi che per loro. Rubano ad ogni giro! I borghesi non possono mai ballare.

Giulio. Sono giovani.

Ranetti. E noi? Intanto non sposano mai e fanno delle scenate.

Giulio. Uh scenate![1]

Ranetti. Ma sì! Ieri sera dirigevo io. Se non si comanda la *queue*[2] non c'è più ordine, non è vero? E bisogna vociare: scelgono me per questo: quando comando io, tremano i vetri. Ebbene ieri sera una volta che grido[3] la *queue*, un capitano che stava in prima fila colla signora Sequis dice: Che cannonata! e si tura gli orecchi. Io mormoro fra di me, fra di me, nota bene: se alle cannonate si turano gli orecchi! Nient' altro! Finito il ballabile, vengono due ufficiali e mi domandano che avessi detto. Io ho usato prudenza e ho risposto che non ricordavo: Lei ha detto di qui fin qui; e mi ripetono la mia frase in tono minaccioso. Io uso prudenza e nego. Come si fa? Battersi? Le tocco.[4] Più tardi al cotillon....

Giulio *va all'uscio dello studio.*

Ranetti. Ti secco?   20

Giulio. No.

Guarda nello studio poi torna.[5]

Tira innanzi.

Ranetti. Al cotillon si faceva la figura delle farfalle: nota che l'ho introdotta io al circolo quella figura,[6] e ho regalato le farfalle che avevo fabbricato[7] io nel retro bottega di Pasca. Sai com'è la figura delle farfalle?

GIULIO.   Me lo immagino.

RANETTI.   Si prendono....

GIULIO.   Me lo immagino.   Va avanti.

RANETTI.   Ebbene Béssola mi avverte che c'era
il tenente Rovi che entrava sempre nella figura quando
non gli toccava.[1]   È uno sperlongone[2] che sfonda le
cupole; naturale che le farfalle le acchiappa lui.   Béssola
che è piccolo non ci arriva mai.[3]   Che avresti fatto tu?

GIULIO.   Mah![4]

RANETTI.   Io adocchio e quando vedo il tenente
Rovi entrare fuori di turno, lo prego di ritirarsi.   Colle
buone[5] s'intende.   Mi rispondeva di sì e seguitava.
E una volta[6] lo prego, e due lo prego, e tre. Alla
quarta lo prendo per un braccio per tirarlo via.   Si
scioglie con uno strappo e mi dà del villano, là, forte!

GIULIO.   Oh diavolo![7]   e tu?

RANETTI.   Io ho usato prudenza e sono andato a
cena.   Ma ti avverto che al circolo si mormora contro
di te.   Tu sei il presidente!

GIULIO.   Mi son già dimesso tre volte.

RANETTI.   E ti hanno riconfermato: dunque
tocca a te a provvedere.   Ma le sere dei balli non ti si
vede mai.

GIULIO.   Non ci va mia moglie.

RANETTI.   E perchè, madama?

EMMA.   Non ne ho voglia.[8]

RANETTI.   Una signora giovane!   Anche di questo
si mormora.

Emma.   Non faccio del male a nessuno.

Ranetti. . L'anno passato ci veniva.

Giulio.   Di mala voglia anche allora.   Emma ha
un carattere posato, non ama trovarsi colla gente, non
ama discorrere.   5

Ranetti.   Oh! un'apparizione.[1]

Emma.   Bisogna vestirsi, far tardi.

Giulio *torna verso lo studio.*

Ranetti.   Vai via ?

Giulio.   No, guardo nello studio se non è entrato   10
nessuno.   L'ho lasciato aperto.

Ranetti.   Il tuo sostituto ama i suoi comodi.[2]

Giulio.   Gli avvocati non hanno dei sostituti,
hanno dei collaboratori.

Ranetti.   Oh scusi![3]   15

Giulio.   E il mio collaboratore non è in studio,
perchè è andato in pretura[4] per conto mio.

Ranetti.   Volevo ben dire[5] che non era il ballo la
cagione del ritardo.

Giulio.   Perchè ?   20

Ranetti.   Perchè il signor conte Arcieri non ci
fa l'onore di mettere i piedi al circolo.

Giulio.   Ha altro[6] per la testa.

Ranetti.   E poi non siamo gente del suo bordo.

Emma *si alza e fa per allontanarsi.*[7]   25

Ranetti.   Madama ha da fare.   Leviamole l'incomodo.[8]

Emma.   No, volto questi panni perchè non brucino.

Ranetti.　Tanto.... la discrezione....[1]

Giulio.　Lascia stare la discrezione, e poichè sei un bravo ragazzo abbi un po' d'indulgenza nei tuoi giudizî.

5　　Ranetti.　Ho detto che il tuo collaboratore non è del nostro ceto—un nobile!

Giulio.　Firma: avvocato Arcieri senz' altro.

Ranetti.　Come a dire che il titolo non gli occorre portarlo, che tutti lo dobbiamo conoscere.

10　　Giulio.　Se lo portasse gli fareste il rimprovero a rovescio.

Ranetti.　Di' che non sta sulle sue![2]

Giulio.　È serio, è vergognato della vita equivoca e viziosa di suo padre.

15　　Ranetti.　Suo padre almeno è gioviale, alla mano, pieno di spirito.[3]

Giulio.　I dissoluti sono tutti così. Ma deve a mezza la città. Il figlio in quanti incontra[4] ha paura di trovare un creditore.

20　　Ranetti.　Non è obbligato a pagare.

Giulio.　Ma paga come può. Il padre non ha più un soldo. Campa di giuoco e di peggio. Ha dato fondo a tutto il patrimonio del figlio. A questi[5] non rimane che una pensione di 2,000 lire che gli deve
25　passare quell' usuraio di Maraschi.[6] Ebbene non ne tocca un quattrino,[7] la mette tutta quanta a riturare qua e là le buche più grosse. Questi sono fatti che contano. Vive di quelle poche cause che gli cedo io,

ma nessuno di voi altri[1] l'aiuta. Tu procuratore avviatissimo, non gli hai ancora mandato un cliente.

RANETTI. Li mando a te.

GIULIO. Non è la stessa cosa. Io ho una bambina
e ne possono venire degli altri. Del lavoro che viene a   5
me ho il dovere sacrosanto di sbrigarne io quanto più
posso. Egli stesso non ne vuol sapere; l'altro giorno
mi disse che s'accorgeva di essermi di peso, parlava
d'andar via per cercar fortuna. Ma finchè sta qui spera
di tener in soggezione il padre, che non le faccia troppo   10
grosse.[2] È una cosa dolorosa. Altro che le farfalle[3] del
Cotillon! Vive come un anacoreta. Si lesina il cente-
simo, non si è associato al circolo per via della spesa.
Abitare col padre non può: è così poco rispettabile
quella casa! Sta a dozzina dal cancelliere di Pretura: 15
ha un aspetto elegante perchè riduce e finisce di usare
gli abiti smessi di suo padre, che fa il damerino a cinquanta anni. Ti prego poi di non andare a blaterare[4]
di queste cose al Caffè Vasco. Ma chi può dire se tu
ed io saremmo capaci di fare altrettanto? E invece   20
di ammirare o almeno di apprezzare quella virtù, di sostenere quel coraggio, voi altri gli mostrate una freddezza
ripulsiva che egli attribuisce a diffidenza, a disistima
per la triste fama del suo nome. È una cosa dolorosa.[5]

RANETTI. Hai ragione. Vedrai.   25

GIULIO. È da un pezzo che ti volevo dire queste
cose.[6] Ma mi ripugnava mendicare amicizie a chi
merita di trovarle spontanee.

RANETTI.   Hai ragione.   Gli mando oggi un famoso cliente.   Sei contento?

GIULIO.   Farai bene.   È abilissimo.

RANETTI.   Tarderà molto a venire?

5   GIULIO.   Non so.

RANETTI.   Tu lo aspetti?

GIULIO.   No, alle 10 vado in tribunale.

RANETTI.   Allora bisognerà che gli lasci un biglietto perchè vada subito dal dottor Brusio.   Sai che il dot-

10   tore è invalido, non si può muovere.

GIULIO.   È quello il cliente?

RANETTI.   Sì. Buono eh?[1]   Rubbo l'impresario doveva pagare ieri sera al dottore una somma di 15,000 lire.

15   GIULIO.   Rubbo è buono per un milione.

RANETTI.   È per questo che non paga.   Lo conosco, è cavilloso come un cattivo procuratore.   E se non ha pagato s'intavola una litaccia[2] che si farà grossa come una casa.   Dove posso scrivere il biglietto?

20   GIULIO.   Di là nello studio.

RANETTI.   Va bene.   Madama....

Via nello studio.

SCENA QUARTA

EMMA e GIULIO

EMMA *siede vicino al fuoco pensierosa.*

GIULIO.   È un buon diavolaccio.[3]

25   *Emma non si muove.   Giulio le si avvicina e quasi per svegliarla.*

Oh!

EMMA. Sei buono!

GIULIO. Perchè? Perchè ho difeso Fabrizio?
Farebbe lui altrettanto e più per me. Non lo credi?

EMMA. Sì. Sei buono.   5

GIULIO. È così facile quando si è contenti.[1] Paragono la mia vita alla sua e mi trovo possedere tante
ragioni di felicità e lui così poche, che mi pare di essergli
in debito. Io ho te, ho Gemma, gli affari prosperano, la
gente mi vuol bene. E lui! Domenica quando andavo   10
a raggiungerti alla villa di tuo zio, avevo presa la scorciatoia che costeggia il Vasco: l'ho visto là tutto solo
che andava su e giù per il greto, con un' aria così
abbandonata! L'ho chiamato, è venuto arrossendo
di che lo avessi colto[2] in flagrante delitto di poesia,   15
diceva lui! Gli altri della sua età e della sua condizione la domenica vanno in brigata, se la godono, egli
aveva proprio l'aria di non essere di nessuno.[3] Era-
vamo a pochi passi dalla villa, l'ho invitato ad accompagnarmi che avrebbe pranzato con noi.[4] Non ci fu   20
verso.[5] Mi sono voltato due o tre volte a guardarlo
ancora che tornava[6] in città. Povero diavolo! Ti fa
pena eh?[7]

EMMA. Perchè?

GIULIO. Si vede! Quel padre è così spregevole!   25
I giorni di mercato, tutto elegante com'è, si rintana in
un bugigattolo alle *Tre Colombe* e giuoca a macao[8] coi
negozianti di bestiame che scendono dalla montagna.

Quindici giorni fa il Rosso, l'impresario della diligenza,[1]
l'ha schiaffeggiato perchè faceva saltare le carte.

EMMA.   Che orrore!

GIULIO.   Pensare che Fabrizio potrebbe innamo-
5 rarsi di una brava ragazza, e che c'è caso gliel'avessero a ricusare[2] perchè è figlio di suo padre.

EMMA.   Hai l'udienza oggi ?

GIULIO.   Sì, alle 10.

EMMA.   Verrai a mezzogiorno per la colazione ?

10 GIULIO.   Sì, sì.

RANETTI *di dentro.*   Oh bravo.

EMMA.   Guarda, c'è gente.

GIULIO.   Sarà Fabrizio.[3]

SCENA QUINTA

RANETTI, FABRIZIO *e detti*

RANETTI *conducendo Fabrizio.*   Venga qui, venga
15 qui.   Si parlava di lei in questo momento.

FABRIZIO *a Giulio.*   Buon giorno!

> *S'inchina ad Emma.   A Giulio.*

L'interrogatorio Bonola rinviato a quindici giorni,
Martino assolto.

20 GIULIO.   Un bicchierino di vermouth ?

FABRIZIO.   Grazie, no.

RANETTI.   Ho bisogno di lei, sa ?

FABRIZIO.   Di me ?

RANETTI.   Sì, per un affare che può farsi grosso.
25 Può venire con me subito ?

Fabrizio *guardando Giulio.*   Ma!

Giulio.   Va' pure.   Io ho udienza in Tribunale, ma non aspetto nessuno.[1]

Ranetti.   Le avevo scritto un biglietto, ma se viene lei si fa più presto.   In mezz'ora ci si sbriga.   Le   5 affido un famoso cliente.

Fabrizio.   Grazie.

Ettore *dallo studio.*   È permesso ?

Giulio *a Fabrizio.*   Guarda un po'.[2]

Ettore *c. s.*[3]   È permesso ?   10

Fabrizio *fra sè, stupito.*   Mio padre !

SCENA SESTA

Ettore *e detti*

Ettore.   Posso entrare qui ?

Giulio.   Si accomodi.[4]

Fabrizio *pronto, ad Ettore.*   Vuoi me ?   Vieni.[5]

Ettore.   Dacchè ho la fortuna di poter salutare   15 una bella signora, non me la lascio scappare.   Come sta, signora Scarli ?

Emma.   Grazie![6]

Ettore *a Giulio.*   Io non ho mai occasione di tro-varmi con lei, avvocato, ma so tutto quello che ha   20 fatto e che fa in favore di mio figlio.   È inutile dirle che gliene sono riconoscente.

Giulio.   Fabrizio mi aiuta, stiamo bene insieme.[7]

Fabrizio.   Hai bisogno di parlarmi ?

Ettore.   Sì.   Oh Ranetti![8]   25

Ranetti.   Come va, signor Conte?

Ettore.   Bene, se godo le sue grazie.[1] E stanotte
ne abbiamo fatte delle vittime eh?[2] L'indomani di
un ballo è un coro generale d'imprecazioni mascoline
5 contro di lei.

Ranetti.   Qualche ufficiale?

Ettore.   No, i mariti.—Vedo che l'avvocato ha
intenzione di offrirmi il vermouth.

Giulio.   Oh scusi!
10   lo serve.

Fabrizio.   Bada che ho molto da fare. Se ti
occorre veramente di parlarmi.

Ettore.   Mi occorre tanto che sono andato a
cercarti in Pretura.

15 Fabrizio.   Se vuoi venire di là.—Scusi, signor
Ranetti, sento quello che vuole mio padre e poi sono
da lei.

Ettore.   Devi uscire col signor Ranetti?

Fabrizio.   Sì.

20 Ettore *a Ranetti*.   Ne avranno per un pezzo?[3]

Ranetti.   Mezz'ora.

Ettore.   Ebbene, siccome una mezz'ora almeno
di colloquio con mio figlio occorre anche a me, le cedo
il passo.[4] Gli affari anzi tutto.
25   *A Fabrizio.*

Tu ritorni qui?

Fabrizio.   Qui!

Ettore.   Domando perdono alla signora e all'avvocato se do appuntamento a mio figlio in casa loro,

ma siccome vorrei parlare anche con loro, anzi prima
con loro....

GIULIO. Il guaio è che io alle dieci devo essere in
tribunale e ~~trouble~~

guarda l'orologio 5

mancano pochi minuti.[1]

ETTORE. Parlerò con la signora.

EMMA. Con me?

ETTORE. Se mi permette.

FABRIZIO *a Ranetti*. È proprio indispensabile che 10
io venga con lei?

RANETTI. Sarebbe meglio.

FABRIZIO *ad Ettore*. Tu non puoi rimettere ad
oggi?[2]

ETTORE. Impossibile: ma ti dico hai tutto il 15
tempo, prima di parlare con te io ho piacere di dire
due parole alla signora.

FABRIZIO *a Ranetti*. Abbia pazienza, vada senza
di me.[3]

ETTORE *a Fabrizio*. Si direbbe che ti dà fasti- 20
dio di lasciarmi qui solo. Sono sicuro che l'avvocato
non ha nessuna difficoltà a concedermi di rimanere
mezz' ora con sua moglie.

GIULIO. S'immagini![4]

EMMA *piano a Giulio*. Ma io.... 25

GIULIO *piano ad Emma*. Come si fa?[5]

A Fabrizio.

Allora tuo padre ti aspetterà qui.

at all

FABRIZIO *piano ad Ettore.* Non si tratta mica di denari.

ETTORE. Per chi mi pigli?[1]

RANETTI. Madama....

5 EMMA. A rivederlo.

RANETTI. Signor Conte....

ETTORE. Giudizio eh? E mi voglia bene.[2]

RANETTI. Sempre.

FABRIZIO *ad Emma salutandola.* Torno subito.

10 *A Giulio.*

Addio.

Via per lo studio con Ranetti.

SCENA SETTIMA

Detti, meno FABRIZIO *e* RANETTI

GIULIO *ad Ettore.* Perdoni un momento, due parole a mia moglie.

15 ETTORE. Faccia, faccia![3]

EMMA *piano a Giulio.* Mi dà una soggezione![4]

GIULIO *piano ad Emma.* Abbi pazienza.[5] Fabrizio verrà subito, hai visto com' era seccato. Se potessi rimanere, ma come si fa? Del resto vedrai che è compitissimo. Non posso immaginare cosa voglia da noi.

20 Denari no, non oserebbe. Se mai....[6]

EMMA. Io non ne ho, ma pensa che imbarazzo[7] se me ne domandasse!

GIULIO. No, no, a te non osa. Se mi riesce di

25 sbrigarmi, vado e torno. Addio eh?

Emma. Addio.

Giulio. Se vuole accomodarsi.[1]

Ettore. La ringrazio.

Giulio via dallo studio.

SCENA OTTAVA

Emma *e* Ettore

Ettore. È proprio una violazione di domicilio,[2]   5
a quest'ora indebita. Ma per le belle signore non c'è
ora indebita. Esse trionfano a tutte le ore.

Emma. Scusi se la ricevo qui nel tinello,[3] ma in
sala[4] fa freddo, non c'è il fuoco acceso.

Ettore. Ma qui è bellissimo, qui si sta d'in-   10
canto,[5] anzi quest'aria casalinga è così attraente!
Avevo già più volte pregato Fabrizio che mi accompa-
gnasse da lei.

Emma. Io faccio una vita così ritirata! Nelle
città piccole non c'è l'abitudine....   15

Ettore. Sono dunque doppiamente indiscreto.
Ma si tratta di una cosa grave. Volevo rivolgermi a
Fabrizio, poi ho pensato che era meglio cominciare
dai suoi migliori amici. E sono anche contento di
potermi aprire[6] prima con lei sola. Le donne sono mi-   20
gliori alleati che gli uomini.

Emma. Segga.

Ettore. Sissignora! Ma poi mi lascerà levarmi
in piedi[7] e non troverà sconveniente se non so star

fermo. Sono un po' agitato. Si tratta di una cosa
grave. È la prima volta che parlo con lei, ma so che
lei è molto buona. Anche suo marito è un uomo di gran
cuore, ma le donne sanno meno cose e ne capiscono di
5 più. Mi perdo in preamboli, perchè non so come
entrare in argomento. Si vede che a mio figlio spia-
ceva questa mia insistenza a rimanere. Io sono un
po' il pupillo di mio figlio. Egli ha un certo diritto di
sindacare la mia vita, io non ho quello, non dico di
10 sindacare, perchè non è il caso, ma nemmeno di entrare
nel giro della sua.[1] Ci sono degli elementi della sua
vita, delle abitudini, degli affetti che io devo ignorare,
o lasciargli credere che ignoro.[2]

    Emma *da sè*. Oh!

15   Ettore. Ciò rattrista, perchè non sono vecchio
e potrei essergli indulgente senza scapito della mia
dignità. Sono sicuro che lei approva questi scrupoli,
non è vero? Non mi risponde?

    Emma. Che le posso rispondere? Non comprendo
20 quello che vuol dire.

    Ettore. Quello che dico e nulla più.

    Emma. Non so spiegarmi la ragione....

    Ettore. Del mio discorso? È semplicissimo.[3]
Quello che io ignoro può forse esser conosciuto da lei.

25   Emma. Dica.

    Ettore. Lei non sa se Fabrizio abbia[4] qui in
città.... o altrove.... un qualche legame?[5]

    Emma. Legame?

attachment

Ettore.   Sì.... un qualche amore.... sarebbe così naturale alla sua età.... qualche passioncella virtuosa e malinconica.   Tutti ci passano[1] e specialmente i giovani seri come mio figlio.   Lei non sa ?

Emma.   No.   5

Ettore.   Si capisce, a lei non arrivano le ciarle della gente.

Emma.   Le ciarle ?[2]

Ettore.   Oh le città piccole!   Io non sono ingenuo, non è vero ?   Eppure ascolto spesso qua e là delle os-   10
servazioni così argute, delle malignità così ingegnose, delle induzioni così sottili, da esserne meravigliato e spaventato.   Al caffè Vasco ci sono dei genii in questa materia.   Suo marito ha torto di non andarci: per un avvocato dev'essere un famoso[3] esercizio.   Fra una   15
partita e l'altra a tarocchi[4] vi si dicono delle cose profonde.   C'è della gente che tiene registro, non per modo di dire,[5] ma che scrive veramente tutto quello che succede in città, specialmente i fatti che paiono insignificanti.   È una fabbrica d'armi insidiose!   Sanno tutto;   20
a che ora uno esce di casa, a che ora ci ritorna, dove è andato, chi c'era, che aspetto aveva rientrando.   Ci sono degli oracoli che predicono il futuro: per esempio, cito un fatto senza importanza, ma per darle un'idea....   Lei è andata al ballo ieri sera ?   Io non lo so.   C'è andata ?   25

Emma.   No.

Ettore.   Ebbene ieri l'altro al caffè Vasco lo si prevedeva.

EMMA.   Non ci vado da un anno.[1]

ETTORE.   Lo credo.... ma faccio per mostrarle....
Per dirne un' altra.... io non so nemmeno se c'è andato
mio figlio a questo ballo eh ?

5   EMMA.   No, non c'è andato.

ETTORE.   Lei lo sa ?

EMMA.   Sì, lo so.   E prevedevano anche questo ?

ETTORE.   Anche.

EMMA, *ridendo male*.[2]   Sono oracoli a buon mercato.
10 Sanno che Fabrizio non è socio del circolo.

ETTORE.   Ah ecco! Fabrizio non è socio. Insomma lei non può dirmi nulla se Fabrizio sia[3] libero.

EMMA.   No.

ETTORE.   Già.   Eppure io ho bisogno di cono-
15 scere.... perchè non vorrei contrariare i sentimenti di
mio figlio.   Proverò a domandarne a suo marito.

EMMA.   Ah!

ETTORE.   Chissà che egli non sia informato e ad
ogni modo può aiutarmi a cercare.

20   EMMA, *ridendo*.   Cercare!   Ma dunque lei crede
proprio che Fabrizio.... che idea!   Io mi domando
cos'è che ha potuto mettere in mente....   Basta vederlo.
Ha tanto da fare!   Tanti pensieri![4]   Giurerei!...   E
poi si capirebbe.... avrebbe capito anche lei: quando
25 uno è innamorato si capisce, non è vero ?   Ebbene io
lo vedo tutte le sere; viene qui, si fa tardi, si discorre,
lui fa la partita con Giulio, io sto lì a lavorare,[5] e le
assicuro.... che pazzia! e poi me lo avrebbe detto,

sono sicura che mi avrebbe confidata ogni cosa.—
Mai più![1]

ETTORE. Meglio così. Allora tutto è più facile.
Voglio dargli moglie.

EMMA. Ah!   5

ETTORE. Sì. Bisogna finirla con questa vitaccia
di espedienti.[2] Non ci siamo nati. Gli ho trovato un
partito conveniente sotto ogni aspetto.[3] Una ragazza,
giovane, anche bella, allevata modestamente, 200,000
lire lì sulla tavola, senza contare le speranze.[4] Figlia   10
unica. Fabrizio mi farà delle difficoltà, me ne ha già
fatte; ma deve finire per accettare; è assolutamente
necessario. E si deve far presto.[5] Io non ho tempo
di aspettare. Bisogna che tutti quelli che possono
agire su di lui, mi vengano in aiuto. Quando ho cer-   15
cato di parlargliene egli ha tròncato il discorso bruscamente, brutalmente, perchè ha preso un tono con
me![6] Ora devo dare una risposta definitiva da cui
dipendono molte cose, molte cose gravi.... perdoni se
parlo così vibrato,[7] ma glie l'ho detto in principio.   20
Sono un poco agitato. Sono sicuro che lei mi aiuterà a
persuaderlo. È necessario.

EMMA *da sè*. Ah!

ETTORE. Perchè, vede—caso mai—tutti questi
amori mancini vanno a finire scioccamente e non con-   25
chiudono.[8] Da principio tutto riesce.... l'amore, la
poesia, le promesse! Si va guardinghi,[9] nessuno
scoprirà mai, e un bel giorno tutto si scopre, e allora

l'amore bisogna bene che finisca e la poesia e le promesse. Ci sono delle altre promesse che tengono, quelle sancite dalla legge. E intanto l'occasione buona se n'è andata e non torna più, e si rimane colla vita sciupata,

5 collo scorno di una caduta inabile, peggio che quello di una cattiva azione.[1] La gente non vi aiuta più, e vi si accusa di ingratitudine.... bisogna ricominciare la vita con più anni e meno risorse. Ecco tutto!

Piantandosele in faccia.[2]

10 Non ho ragione?

Lunga pausa.

Suo marito lo metto subito dalla mia,[3] ma deve aiutarmi anche lei, perchè non abbiamo tempo d'andar per le lunghe. Bisogna far presto! nell'interesse stesso di

15 Fabrizio bisogna decidere su due piedi. Tanto vale.— Non sposa per amore, non è vero? Dunque?—Perchè quelli non aspettano più. Hanno un'arma.[4]

Sempre più concitato.

È la figlia di Rubbo l'impresario. Rubbo vuol far

20 contessa sua figlia, Rubbo ha un'arma, quello che vuole, vuole.[5] È venuto da me stamattina—a mezzogiorno vuole la risposta. Bisogna almeno che gli possa dare delle speranze, ma la mia parola non gli basta. È così male educato! Vuol parlare oggi con Fabrizio—se no!

25 —Lei mi aiuta, non è vero? non è vero che mi aiuta?

EMMA. Sì.

ETTORE. Parlerà con Fabrizio?

EMMA. Sì.

Ettore.   Subito appena torna?

Emma.   Sì, sì—ma che non ci sia lei.[1]

Ettore.   Va bene.—Io prima gli dico di che si tratta.

Emma. ' Ecco—e poi dopo....   5

Ettore.   Me ne vado.

Emma.   Sì. Facciamo così: quando Fabrizio ritorna io li lascio.

Ettore.   Ma poi?

Emma.   Glie l'ho promesso.   10

Ettore.   Capisce bene che dev'essere una cosa grave, se sono qui a pregarla come un'anima disperata.

Fabrizio *dallo studio*.   Sono qui.

Emma.   Ah!

Scatta in piedi. 15

Fabrizio *entra dallo studio e si avvicina ad Emma.*

Emma *piano a Fabrizio*.   Non ne potevo più.[2]

Via dal fondo.

SCENA NONA
Ettore e Fabrizio

Fabrizio.   Cos'è stato?[3]

Ettore.   Non so.   20

Fabrizio.   Che le hai detto?

Ettore.   L'ho pregata che mi aiutasse a persuaderti di prender moglie.

Fabrizio.   Che parole le hai detto?

ETTORE.   Non c'è tempo agli interrogatorii.   Rubbo vuole una risposta.   Accetti?

FABRIZIO.   No!

ETTORE.   Bada!

5   FABRIZIO. Non me ne parlare.—È inutile—vieni via![1]

ETTORE.   Bada!

FABRIZIO.   Vieni via, vieni via!

ETTORE.   Tu non sai di che si tratta[2]—Fabrizio, ti prego colle mani giunte, non mi ricusare.

10   FABRIZIO *spaventato*.   Che cos'è?   mi spaventi.

ETTORE.   Vedi bene che non dev'essere un capriccio.[3]

FABRIZIO.   Dimmi la ragione.

ETTORE.   Voglio levarti da questa vita miseranda.

FABRIZIO.   No!   Che t'importa di me?

15   ETTORE.   Oh!

FABRIZIO.   Quanto gli devi?

ETTORE.   Tu credi?

FABRIZIO.   Quanto?   vediamo se ci arrivo.[4]

ETTORE.   Come sei acerbo!

20   FABRIZIO.   Oh ti giuro che vorrei darti tanta tenerezza[5] e tanta riverenza.

ETTORE.   Non si direbbe.[6]—Mi umilii continuamente.   Tu soccorri alla mia miseria, ma non sai rispettarla.

25   FABRIZIO.   Perchè....

ETTORE.   Non è rispettabile, lascialo dire a me.[7] Dovresti capire che delle qualità della mia razza,[8] le più tenaci sono quelle che non servono a nulla.   Posso

gettare il mio orgoglio e degradarmi colla gente che mi
è inferiore, ma non con te.

Fabrizio. Non è questione d'orgoglio. Quel poco
aiuto che sono in grado di darti non può offendere la
tua fierezza e sostiene la mia. Quanto gli devi? 5

Ettore. Non si tratta di denari. Tu non potresti!

Fabrizio. Quel Rubbo ti tiene in qualche modo;
come?

Ettore. Ha la mia parola.

Fabrizio. Per queste nozze? 10

Ettore. Ti supplico di acconsentire.

Fabrizio. Perchè vuol darmi sua figlia? Non
sono un Narciso[1] da innamorare le donne a distanza e
quella pupattola non saprebbe innamorarsi.[2]

Ettore. Vuol farla contessa. 15

Fabrizio. Sposala tu.

Ettore. Che pazzia! *locura*

Fabrizio. Ma sì. Io ti rinunzio i diritti di primogenitura.[3] Il primo figlio che ne avrai sarà Conte in
luogo mio. 20

Ettore. Non scherziamo.

Fabrizio. Non scherzo. Se credi che 200,000
lire valgano il titolo che portiamo, ebbene esso è più tuo
che mio, dacchè l'ebbi da te. Tu sei vegeto, elegante,
sei più giovane di me, io sarò il nonno de' tuoi figliuoli. 25
Sei più tagliato alla vita che cercano quelli là. Tu sai
essere vistoso. Una volta tornato nell'agiatezza[4]
saresti nel tuo stato perfetto. Io no. Le gioie che tu

potresti sperare dal matrimonio, questo te le darebbe
tutte: di quelle che potrei sperare io, non ne avrei
nessuna.   Perchè tormentarci in tanti, per ottenere essi
quello che io non posso dare ed io quello che non cerco ?[1]
5 Non è portando i tuoi abiti smessi che potevo avvezzarmi all'eleganza.[2] Mi sento così poco nobile io!
Non ho che virtù borghesi! So lavorare, amo il lavoro,
non ho ambizione, mi compiaccio della vita intima.[3]
Un po' di tranquillità e la sicurezza del domani mi
10 bastano.   E vederti contento, e non essere costretto con
te alla parte ingrata del mentore, e poterti dare tanta
tenerezza figliale e tanto rispetto! non domando altro!
Sposala tu!

Ettore.   Rubbo non vuole.

15 Fabrizio *ridendo amaramente*. Hai già cercato e
vieni da me alla peggio!

Ettore.   Vedi che hai orgoglio anche tu!

Fabrizio.   È vero.   E non faccio mercati.

Ettore.   Ma li consigli a tuo padre.

20 Fabrizio.   Alla tua età i patti sono chiari;[4] non
c'è frode possibile.

Ettore.   Non saresti il primo a fare un simile
matrimonio.

Fabrizio.   Anche se rubassi, non sarei il primo ladro.

25 Ettore.   Quando ti dico....

Fabrizio.   Basta. Bisogna aver perduto ogni
idea di rettitudine per non capire che il mio consenso
sarebbe un'azione disonesta.

Ettore.   Credi che sia più onesto entrare nella casa di un galantuomo, guadagnarne l'amicizia, riceverne i benefici e sedurne la moglie?

Fabrizio *violento*.   Questo hai detto alla signora Emma?   5

Ettore.   Ora lo dico a te.

Fabrizio *c. s.*   Rispondimi, le hai detto questo?

Ettore.   Non ho ragione?

Fabrizio.   Nessuno può sospettare.

Ettore.   Ma tutti sospettano.   10

Fabrizio.   Non è vero.

Ettore.   E tu allora denunzia la calunnia al marito.

Fabrizio.   Guarda! Non curo difendermi! Ma se tu hai detto una parola di ciò alla signora Emma....   15

Ettore.   Lascia stare, ha quasi confessato.

Fabrizio *atterrito*.   Essa?

Ettore.   Qui, or ora.

Fabrizio *abbassa la voce, e si guarda attorno*.   Sst! Vieni via. Andiamo a casa tua. Non è possibile   20 che tu abbia fatto questo! Un gentiluomo! Vieni via, vieni via!

Ettore.   No, tu rimani. La signora Emma ti vuol parlare.

Fabrizio.   A me?   25

Ettore.   Sì.

Fabrizio.   Ti sei fatto promettere che ti avrebbe aiutato?[1]

ETTORE. Sì.

FABRIZIO. E te l'ha promesso! Vedi bene[1] che i tuoi sospetti sono assurdi.

ETTORE. Tu avresti mezzo di mostrarne anche
5 più chiaramente l'assurdità.

FABRIZIO. Sposando la figlia di Rubbo? Ho un mezzo migliore. Andarmene!

ETTORE. Ricusi ancora?

FABRIZIO. Certo!

10 ETTORE. È la tua ultima parola?

FABRIZIO. Oh! l'ultimà!

ETTORE. Anche se ti dicessi che ne va in parte dell'onore del tuo nome?

FABRIZIO. Tu ed io intendiamo così diversamente
15 la parola: onore!

ETTORE. Addio!

Si allontana poi ritorna.

FABRIZIO. Addio.

ETTORE. Se mai, fino a mezzogiorno sono in casa.
20 Dopo sarebbe troppo tardi.

Via per lo studio.

SCENA DECIMA

FABRIZIO *poi* EMMA

FABRIZIO *alle porte del fondo.* Signora Emma![2]

Silenzio,—poi Emma entra.

EMMA. È andato via?

25 FABRIZIO. Sì.

discover

EMMA.   Ha scoperto ogni cosa.

FABRIZIO.   Lo so.

EMMA.   Non sarà il solo.

FABRIZIO.   Io parto.

EMMA.   Quando ?   5

FABRIZIO.   Appena posso.   Stasera.

EMMA.   Che penserà Giulio ?

FABRIZIO.   Cercherò una ragione.   Non oso guardarlo.   Se mi fissasse, capirebbe: non saprei trovare una
parola per sviarlo.   Ma questo avvertimento viene   10
in tempo.   Me partito,[1] i sospetti cadono.   Doveva
finir così.[2]   Che ha detto mio padre ?

EMMA.   · Non so più.   Tante cose!   Ho veduto
subito che sapeva, subito da principio.   Mi guardava—
mi guardava![3]   Le parole erano riverenti, ma lo sguardo   15
oltraggioso!   Poi deve aver minacciato,[4] ma non so più.
Che tortura!   Lo sanno tutti eh ?

FABRIZIO.   No.   Mio padre vede così facilmente
il male.   È così corrotto!

EMMA.   Che ci ha indovinati!   20

FABRIZIO.   Per carità non perdiamoci.[5]   Dobbiamo farci coraggio, per fingere fino a stasera.   Non
posso partire senza veder Giulio.   Ci troveremo tutti
e due nella sua presenza.   Egli vorrà dissuadermi.
Bisognerà sapere essere forti e fingere.   Per lui!   per   25
lui!   L'unico bene che possiamo fargli è d'ingannarlo.

EMMA.   Non sapremo—siamo vili.—È l'ultima
ombra di nobiltà che ci resta.—Ma l'avevamo pre-

veduto eh? Almeno l'avevamo preveduto. Non si
può dire che non avessimo coscienza di tutto.

FABRIZIO. No.—Chi lo sa come si comincia?
È un veleno così sottile, così subdolo! Chi lo avverte
5 da principio? Ha tanti nomi! È pietà, è rispetto,
è fede! Chi lo teme? Non è che un ardore di bene.
Si appiglia a tutte le facoltà buone e forti dell' animo
e le esalta per stancarle. Quando avvertiamo l' insidia,
è padrone di noi.[1]

10   EMMA. Non cerchiamo scuse. Ci siamo amati
—sono stata vile—è finito!

FABRIZIO. Emma!

EMMA. Partire! E se scopre?

FABRIZIO. No, troveremo modo.

15   EMMA. Che dirgli da un'ora all'altra?[2]

FABRIZIO. Già lo meditavo. Glie ne avevo parlato. Non potevo più accettare questa parte.

EMMA. Non pensiamo a noi.

FABRIZIO. Penso a lui. La scoperta della mia
20 colpa potrebbe ucciderlo; la continuazione dei benefici lo farebbe ridicolo.

EMMA. Partire così è una fuga—domani....

FABRIZIO. L'amore è vile, Emma. Se non ci
armiamo di questi terrori esso ci ripiglia. È un mese
25 che dico domani e che trascino di giorno in giorno il
buon proposito.

Avvicinandosele.

Ti amo tanto, Emma.

Emma *ritraendosi*. No, no, no!

Fabrizio. E se domani non ho più coraggio? Se mi addormento un'altra volta nella mia viltà? Tu mi supplicheresti invano, Emma! Quanto non m'hai supplicato![1] Ti vincerei un'altra volta, povera donna 5 debole! Non fidarti[2] di me! Se volessi portarti via, tu mi seguiresti.

        Emma fa un movimento verso di lui. Lo vedi se ti riprendo? Non fidarti di me. Sono uscito da una razza sfatta. Mio padre è uno scroccone, 10 potrei essere un ladro.

Emma. No, Fabrizio!

Fabrizio. Ora! ora![3] mentre ho la, mente a queste paure, mentre ti parlo di lui, e vorrei morire per non averlo offeso, se ti guardo mi sale al cervello la 15 vampa della pazzia!

SCENA UNDECIMA

Marta *e detti*

Marta. Signora!

Emma. Che!... La bambina?...[4]

Marta. È rimasta di sotto a giuocare coi figli del droghiere.[5] C'è la lavandaia che domanda se non ha 20 portato ieri una tovaglia scompagna dalle nostre.[6]

Emma. Non so—c'eri tu!

Marta. Già, il conto tornava, ma poi piegandola ho visto bene io che ce n'era una non nostra.

        Apre la credenza e prende una tovaglia. 25 Eccola qui.

EMMA.   Dagliela.

MARTA.   Lasci fare.[1]

Via.

SCENA DODICESIMA
EMMA e FABRIZIO

EMMA.   Vedi bene! È giusto, va! Non è possibile! È una cosa degradante! Questa intromis-
5 sione della casa in.... oh!... Ci vogliono gli uomini oziosi, le donne inutili.... Sì.... sì.... stasera parti.... stasera.... troverai un pretesto.... ma.... mai più.... mai più.... mai più![2]

Lunga pausa.

10 Dovevo anche parlarti di quello che vuole tuo padre. Lo sai quello che vuole?

FABRIZIO.   Sì.

EMMA.   Ho promesso di persuaderti.

FABRIZIO.   Oh!

15   *con isdegnoso[3] rifiuto.*

EMMA *con involontaria passione*.   No eh?![4]

FABRIZIO.   Oggi verrò da Giulio. Gli dirò che voglio liberarmi dalle sollecitudini di mio padre.

EMMA.   Sì.

SCENA TREDICESIMA
MARTA e detti

20 MARTA.   Ecco fatto.[5]

FABRIZIO *inchinandosi ad Emma*.   A rivederla.

EMMA *c. s. a Fabrizio*.   A rivederlo.

Fabrizio via.

SCENA QUATTORDICESIMA

Marta *ed* Emma

Marta. Glie l'ho mostrata e le ho detto che quando porterà la nostra, glie la ridaremo.—Vuol prendere i conti ?[1]

Emma. Ora?

Marta. Se no mi passa di memoria.[2]   5

Emma *va a prendere nel cassetto della mezza luna[3] il libro dei conti e il calamaio, poi siede alla tavola di mezzo.*

Marta. C'erano già dei carciofi in piazza—ma—salati![4] L'avvocato n'è ghiotto. Ma strapagarli![5]

Emma. Di' pure.   10

Marta. Filetto venticinque,[6] burro quindici, patate tre....

Cala la tela.

ATTO SECONDO

La stessa scena dell'atto primo. Sulla tavola di mezzo c'e una lunga scatola bianca, e dentro un taglio d'abito di velluto.

SCENA PRIMA

GIULIO, GEMMA *poi* MARTA

GIULIO *tiene Gemma sulle ginocchia e la fa ballare dicendo:*

Il cavallo del gradasso[1]	
Va di passo, va di passo.	
Pian pian pian pian.	5
Il caval del giovinotto	
Va di trotto, va di trotto	
Ran ran ran ran.	
Quando il re sta sulla groppa	
Si galoppa, si galoppa	10
Vlan vlan vlan vlan.	
Ma nel giorno della guerra	
Il cavallo cade a terra.	
Dan dan dan dan.	

Rimette la bambina a terra. 15

GEMMA. Ancora.

GIULIO. Oh sì![2]

GEMMA. Allora la storia.

Arrampicandosi sulle sue ginocchia.

GIULIO. Una volta c'era un Re....

MARTA *dal fondo*. Viene subito.

GIULIO. Cosa fa di là?

MARTA. Non so, era chiusa in camera. Ha detto
5 che viene subito.

Via.

GEMMA. C'era un Re....

GIULIO. Non so altro.

GEMMA. Che aveva un figlio....

10 GIULIO. E una figlia.

GEMMA. Vedi che la sai?

GIULIO *con aria di mistero*. Senti, Gemma, quando
viene mamma.... noi non diciamo niente....

GEMMA. Sì.

15 GIULIO. Lei vede quella scatola che c'è lì sulla
tavola e domanda: Cos'è?

GEMMA. Sì.

GIULIO. E noi rispondiamo: mah!

GEMMA. Mah!

20 GIULIO. E lei domanda. Chi l'ha portata?

GEMMA *suggerisce la risposta*. Non sappiamo.

GIULIO. Cara! non sappiamo: sì. E allora la
mamma....

GEMMA *vedendo Emma*. Sst!

SCENA SECONDA
EMMA *e detti*

25 GIULIO *facendo saltare la bambina*.

Il caval del giovinotto....

EMMA.   Mi vuoi?

GIULIO *a Gemma*.   Sst!

Forte.

      Va di trotto, va di trotto!

      Pian pian....   5

GEMMA.   No: Ran, ran!

EMMA.   Mi hai fatto chiamare?[1]

GIULIO *c. s.*   Quando il Re sta sulla groppa....

EMMA *è ritta presso la tavola senza avvertire la scatola.*

GEMMA *piano a Giulio.*   Non la vede.   10

GIULIO.   Aspetta.

GEMMA *forte.*   Io vedo una cosa sulla tavola.

EMMA.   Dici a me?

GEMMA.   Sulla tavola.

EMMA *vede la scatola.*   Ah! Cos'è?   15

GEMMA.   Mah!

EMMA.   Chi l'ha portata?

GIULIO.   Mah! Non sappiamo.   N'è vero,[2]
Gemma?

GEMMA.   No: guarda, guarda!   20

EMMA *l'apre.*   Oh!

GEMMA.   Che cos'è?

EMMA.   Un abito di velluto! Giulio!

GIULIO.   Sono gli spilli[3] per la vendita dei molini.
Non lo guardi?   25

EMMA.   È bello! grazie.

GIULIO.   Sei pallida.

EMMA.   No.

GIULIO. Sì.

EMMA. Ho un po' di emicrania. È molto bello
questo abito! Ma troppo lusso! è una follia!

GIULIO. Sono due anni che la medito. L'anno
5 passato avevo cominciato dal primo gennaio a mettere
in serbo una lira il giorno. Poi è scappato quel Forgia
che mi doveva 800 lire, e addio regali. L'altra sera al
contratto di nozze[1] della Pianna c'era la signora Sequis
con un abito di velluto come questo. Ma lo portava
10 così male, ne spandeva da tutte le parti.[2] Il velluto
non dona che alle persone sottili: le grosse le ingrossa.
Io pensavo: Ah quando vedrò Emma vestita così!
Appena Ranetti mi portò i denari dei molini mi è tornato in mente. Tu sì che starai bene![3] sì che sarai
15 bella!

EMMA. Come hai fatto a scegliere da te solo?

GIULIO. Ho comprato male?[4]

EMMA. Ma no, benissimo!

GIULIO. Guarda, esamina pure, è morbido? è
20 fitto, è lucido?

EMMA. Sì, sì.

GIULIO. È un pregiudizio il credere che gli uomini
non s'intendano di queste cose. I devoti sanno adornare la Madonna. Gli uomini capaci di voler molto
25 bene, cioè di amare fortemente e vilmente,[5] hanno tutti
il senso degli ornamenti femminili. Gli è che[6] in fondo
di ogni loro pensiero e di ogni loro azione sta l'immagine
cara che li fa pensare ed agire. E questa non è una

debolezza! Tutti gli uomini forti e buoni amano. Mi credi di quelli?

Emma. Sì.

Giulio. L'hai forte eh, l'emicrania?[1] Si vede. Hai gli occhi lucenti e stanchi.—Che voleva poi quel conte Arcieri? È lui che ti ha dato il mal di testa.   5

Emma *sforzandosi a sorridere*. No!

Giulio. Che voleva?

Emma. Vuol dar moglie a suo figlio.

Giulio. E perchè viene da noi?   10

Emma. Perchè lo aiutiamo a persuaderlo.[2] Il figlio non vuole.

Giulio. In massima ha torto.[3] Chi sarebbe la sposa?[4]

Emma. La figlia di Rubbo.   15

Giulio. Ah! Fabrizio ha ragione. Rubbo è un cattivo soggetto.[5] Come te la sei cavata?

Emma. Insisteva tanto.

Giulio. M'immagino. Hai promesso di parlare a Fabrizio?   20

Emma. Ho fatto male?

Giulio. Hai fatto benissimo. E ne hai parlato?

Emma. No. È stato qui due minuti appena.

Ha chiusa la scatola la prende e si avvia.

Giulio. Vai via?   25

Emma. Vado a riporre....

Giulio. E a me?

Emma. Cosa?

GIULIO.   Gli spilli.—Sei tu che me li devi dare.

EMMA.   Che posso darti io ?

GIULIO.   Oh!

> *La prende per le mani e fa per attirarla a sè.*

5   Qua!

EMMA *fa un involontario moto di resistenza.*[1]

GIULIO.   No ?

> *Sorpreso.*

EMMA *rimettendosi gli porge la fronte.*

10   GIULIO *la bacia.*

EMMA *prende la bimba e la copre di baci.*

GIULIO.   Rendimeli pure a quel modo.[2]   Ne sono
contento.—Sai cosa si dovrebbe fare ?   Prendiamo
Gemma con noi e andiamo a fare una passeggiata
15   fuori all'aperto.   Ti va ?[3]

EMMA.   Come vuoi.

GIULIO.   Gemma, va' da Marta e dille che ti vesta.

GEMMA.   Sì, sì.

> *Via dal fondo.*

20   GIULIO.   Un po' d'aria ti farà bene: sei sempre
qui chiusa a dar punti.[4]

EMMA.   Già mi passa.[5]

GIULIO.   Oggi mi do vacanza.   Sai che stamattina
ho fatto il conto che da due mesi ho incassato, incassato,
25   nota, quasi 1,000 lire!   E a registro sono più di 2,000.
È vero che sono i mesi buoni, ma 9,000 lire all' anno
escono.   Siamo a posto; siamo quasi ricchi.   Emma!
Domani porto 10,000 lire alla banca!   E otto anni fa

non avevo un soldo. Va' là che hai avuto coraggio[1]
a sposarmi. Il nostro bilancio era presto fatto: zero
via zero.... Come fa piacere voltarsi indietro! Posso
dire di avere sgobbato come un facchino, ma tu mi
aiutavi tanto! La vita mi è stata facile. Sorridi!   5

EMMA. Giulio!

GIULIO. Ne[2] abbiamo passate delle ore a sospirare
i clienti. Ti ricordi? Che[3] ti mettevi alla finestra a
vedere se ne entrava nel portone? E non ne veniva
mai. Ti ricordi quella volta che sei entrata nello   10
studio con un gran velo che ti nascondeva la faccia, a
domandare un consulto? Che risate! Che pazza
che eri! Come ridevi tutta quanta![4] Ci tornerei
guarda! E la casa! Che povera casa avevamo![5]

EMMA. Ora l'hanno demolita.   15

GIULIO. È vero: per farci il quartiere degli alpini.[6]
Ci sono capitato un giorno quando l'abbattevano. Ho
riconosciuto la nostra camera là in alto tappezzata di
quella brutta carta olivastra a fiori turchini: c'eran
ancora tre pareti ritte, la quarta era caduta con mezzo 20
il soffitto. Ricordavo tante cose! Ti rattristo? Va
là che le gioie buone sono con noi: le abbiamo portate
via tutte! E nessuno le abbatte quelle.—Che hai?

EMMA. Nulla.

GIULIO. Vatti a vestire.   25

EMMA. Sì.

                                              Si avvia.

GIULIO. Marta sta in casa, eh?

EMMA. Ti occorre?

GIULIO. Oh! se viene Fabrizio che gli dica[1] di trattenersi a pranzo.

EMMA. No!

5 GIULIO. Perchè?

Scampanellata di dentro.

EMMA. Non ci ho pensato. Ora il pranzo è combinato!

GIULIO. Fabrizio non dà soggezione.[2]

10 EMMA. No: lascia stare.[3]

GIULIO. Perchè? oggi sono contento.

EMMA. Ti prego, lascia stare.

GIULIO. Come vuoi, ma non capisco.

SCENA TERZA

MARTA, RANETTI *e detti*

MARTA. C'è il signor Ranetti.

15 GIULIO. Avanti.[4]

RANETTI. E[5] seconda apparizione!

Ad Emma.

La faccio scappare?

EMMA. No, andava già.

20 RANETTI. Un momento. Vuole che le dica cosa c'è lì dentro?

Le mostra la scatola.

Ci sono 18 metri di velluto in seta, nero, alto 60 centimetri, fabbrica di Lione.[6] Giulio ha fatto la spac-
25 conata[7] oggi uscendo di Tribunale. È entrato nel

negozio del Biondo con un' aria risoluta e grandiosa:
ha messo sossopra tutta la mercanzia, ha pagato come
un banchiere, ed è venuto a casa tirandosi dietro il
figlio del Biondo[1] che portava la scatola. La gente si
fermava sulle botteghe a guardarlo.   5

GIULIO. E poi ?

RANETTI. E poi se ne parla al Caffè Vasco. I
tarocchisti hanno mandato Mutria in missione dal
Biondo per sapere. Devo dire anche il prezzo ?

GIULIO. Ti prego di no.   10

RANETTI *ad Emma.* Faccia vedere.[2]

EMMA *scopre la scatola.*

RANETTI. Magnifico!

GIULIO. Sono i molini, vedi ? Tu sei un diavolo[3]
che li hai venduti così bene!   15

RANETTI. Bada, la farina del diavolo va in crusca.[4]

GIULIO. Non c'è pericolo. Dunque cosa vuoi ?

RANETTI. Indovina!

GIULIO. Eh sì![5] Guarda, vogliamo andare a
passeggio con mia moglie.[6]   20

RANETTI. Ah mi rincresce tanto per madama,
ma tu non potrai.

GIULIO. Perchè ?

RANETTI. Perchè ho bisogno di te.

EMMA. Vado dalla bambina.   25

Via dal fondo.

RANETTI. Mi hanno sfidato.[7]

GIULIO. Chi ?

Ranetti. Gli ufficiali, due ufficiali. Sono venuti da me, due ufficiali da parte del tenente Rovi.

Giulio. Quello del cotillon ?

Ranetti. Bravo![1]

5   Giulio. E vieni qui e discorri d'altro come se niente fosse ?![2]

Ranetti. Dovevo arrivare affannato per una inezia ? Casca il mondo ?[3] Bella cosa! Dunque ho bisogno di te; e vorrei pregare anche l'avvocato
10 Fabrizio.

Giulio. Va bene.

Ranetti. Sai dove si può vedere adesso ?

Giulio. Fabrizio ? Ma dovrebbe venire.

Ranetti. Perchè dovete essere in due eh ?[4]

15 Giulio. Già, per le forme. Si può mandare a vedere in casa se c'è.

Ranetti. Vado io.

Giulio. No, mando Marta.

Chiama dal fondo.

20 Marta.

Torna a Ranetti.

Sei tranquillo![5]

Ranetti. Ti fa meraviglia ?

Giulio. Meraviglia! Sì, sono cose che agitano.[6]

25 Ranetti. Oh non li aspettavo, ma una volta presa una decisione....

Giulio. Se te la lasciamo prendere.[7] Come li hai accolti quei due ?

Ranetti. Benissimo.

Giulio. Sono stati cortesi?

Ranetti. Compitissimi. Mi hanno domandato
se riconoscevo di aver preso per un braccio il tenente
Rovi.   5

Giulio. E tu?

Ranetti. Ed io ho risposto che riconoscevo
benissimo.

Giulio. Marta!

Ranetti. Inutile negare, tanto più che....   10

SCENA QUARTA

Marta e detti

Marta. Cosa vuole?

Giulio. Sai dove sta l'avvocato Fabrizio?

Marta. Io no.

Giulio. In casa del signor Peirone, il cancelliere[1]
della Pretura, lo conosci?   15

Marta. Quello che ha quella serva[2] gobba,
rossa?

Ranetti. Sì, Polonia.

Marta. Dove sta?

Giulio. D'accanto a San Biagio,[3] la porta dove   20
c'è il botteghino del lotto.[4] Qui a due passi.[5] Va' a
sentire se l'avvocato Fabrizio è in casa, e pregalo che
venga qui subito. Fa' presto.

SCENA QUINTA

Detti meno MARTA

GIULIO.   Dove li troviamo que' due signori?

RANETTI.   Al Circolo, alle cinque.

GIULIO.   C'è tempo.   Io conto di fare così.   Vado con Fabrizio.   Si rifà la storia dell'accaduto.[1]   Noi[2]
5 dirigevamo il ballo....

RANETTI.   per mandato[3] espresso della Direzione. Carattere ufficiale, dunque....

GIULIO.   Voi non volevate obbedire alle *nulla* norme....

RANETTI.   prescritte.   Ma....

10 GIULIO.   Lasciami dire.   Vi abbiamo invitato varie volte colle buone.

RANETTI.   Sì, ma....

GIULIO.   Lasciami dire.   Non avete ceduto.   Allora nostro malgrado noi siamo stati costretti a trat-
15 tenervi per un braccio.

RANETTI.   Noi, noi, noi!   Io!   Ero io solo che dirigevo.   Nessuno s'è mosso in mio sostegno: Solo ero.

GIULIO.   Ma si usa dire così.[4]

RANETTI.   Ah basta, basta!   Ma vai troppo per
20 le lunghe.[5]   Io direi semplicemente così: il signor Ranetti non si batte.[6]

GIULIO.   Eh!

RANETTI.   Non si batte.

GIULIO.   Anch'io voglio arrivare a questa con-
25 clusione, ma ragionando e persuadendoli.

RANETTI. Che ragionando?[1] che arrivare? Questo
è un fatto. Questo è il punto di partenza, non quello
di arrivo. Non mi batto. Tutto il resto è vanità.[2]

GIULIO. Ma allora perchè mandi noi?

RANETTI. Per dirglielo.   5

GIULIO. Potevi dirlo tu.

RANETTI. Le forme![3]

GIULIO. Ma non so se Fabrizio vorrà fare questa
parte.

RANETTI. Che parte?   10

GIULIO. Andare a dire da bel principio[4] che uno
non si batte.

RANETTI. Subito che[5] è vero.

GIULIO. Va bene, ma....

RANETTI. Tu stai per il duello?   15

GIULIO. No, ma, o non si va, o si discute.

RANETTI. Che! che![6] Non rispondere è una cosa
grossolana, discutere è una debolezza. Chi accetta la
discussione ammette di poter aver torto e di doverlo
riconoscere. Io non voglio.   20

GIULIO. Diavolo! ma è difficile.

RANETTI. Perchè? Quando c'è stato il colera
avete visto se me ne impipavo del pericolo,[7] ma pigliarmi del villano e una sciabolata,[8] è cretino. Se il tenente
vuol venire all' erba con due bastoni ci sto,[9] Pari, pari.[10]   25
Ma non sono abbastanza ben vestito per la cavalleria.[11]

GIULIO. Cosa vuoi che ti dica? io credo che
Fabrizio non ne vorrà sapere.[12]

SCENA SESTA

MARTA *e detti*

MARTA. L'avvocato Fabrizio non è in casa, non è nemmeno andato a far colazione.

GIULIO. Va bene.

Marta via.

SCENA SETTIMA

Detti meno MARTA

5   GIULIO. Sarà dal dottor Brusio per quella causa.

RANETTI. No, quella causa non si fa.[1]

GIULIO. Rubbo ha tirato fuori i quattrini?

RANETTI. Ha pagato. Non tutto in contanti, ma.... Una cambiale di 8,000 lire del conte Arcieri.

10   GIULIO. Il padre?

RANETTI. S'intende.

GIULIO. E il dottore l'ha accettata?

RANETTI. Me lo domandi? con una buona firma!

15   GIULIO. Per Dio! non so che buona firma abbia potuto trovare quello spiantato!

RANETTI. Come non sai! La tua!

GIULIO. La mia?!

RANETTI. Tu non hai firmato una cambiale del 20 conte?

GIULIO. Io non ho mai firmato cambiali in vita mia. Chi t'ha detto questo?

RANETTI.   L'ho veduta un'ora fa.

GIULIO.   Colla mia firma ?

RANETTI.   Diavolo! la conosco eh!

GIULIO.   Ma è falsa!

RANETTI.   Eh!   5

GIULIO.   È falsa! Ah! per esempio[1] lo mando in
galera dritto.   La mia firma tu hai veduto ?

RANETTI.   Ma se ti dico[2]....

GIULIO.   Ah questa![3]

RANETTI.   Anzi il dottore sapendo che abbiamo   10
venduto i mulini, contava....

GIULIO.   Ma è falsa, è falsa.... io non pago se mi
indorassero.[4] Canaglia! In galera lo mando.

RANETTI.   Mi spiace[5] per suo figlio.

GIULIO.   Pensa bene a quello che dici, Ranetti, tu   15
oggi avevi la testa via.[6]

RANETTI.   Che? per il duello? non ci pensavo
nemmeno: ma ti dico una cambiale di 8,000 lire avvallata Giulio Scarli.[7]

GIULIO.   Ma capisci bene se io[8].... 8,000 lire!   20
Come mai il Dottore ha potuto credere ?...

RANETTI.   Chi è che va a pensare[9] ad un falso!
D'altronde tu sei tanto amico del figlio che potevi
benissimo.... Io stesso quando ho visto il tuo nome,
ho pensato: ecco uno dei bei regali dell'amicizia!   25
E mi son detto: Giulio si fida!

GIULIO.   Mi fido![10] Certo mi fiderei di Fabrizio!

RANETTI.   Denari e donne non fidarsi di nessuno![11]

GIULIO. Sì, va',[1] lascia le sentenze ora. Fabrizio non c'entra. L'essenziale è che io non riconosco la firma, e che il dottore lo deve sapere sul momento.

RANETTI. Bisognerà provare.

5 GIULIO. Oh le firme false si conoscono. Vieni con me, andiamo dal Dottore.

RANETTI. Bada che quello non ci mette tempo in mezzo. Va dal Procuratore del Re, dritto.

GIULIO. Ebbene ci vada.

10 RANETTI. E Fabrizio?

GIULIO. Povero ragazzo!

RANETTI. Può pagare?

GIULIO. Mai più![2]

RANETTI. Allora è un processo.

15 GIULIO. Oh!

Siede accorato.

RANETTI. Capirai che col padre accusato di falso e condannato, la sua carriera è bell'e finita.[3] È certo che se non pagate nè tu, nè lui, il Dottore 20 non è tenero, il processo lo fa.

GIULIO. Povero ragazzo!

RANETTI. Ma non mi hai detto che ha una pensione di 2,000 lire?

GIULIO. È vero!

25 RANETTI. Allora può trovare.

GIULIO. Sì sì sì. Non ci pensavo. Già con quelli può rispondere.[4]

RANETTI *accomiatandosi*. Se lo vedo te lo mando.

GIULIO.   Sì, 8,000 lire eh ?

RANETTI.   Otto mila.

GIULIO.   Bene—ora vai[1]—lasciami.   Inutile che ti
raccomandi il segreto.

RANETTI.   Oh!—E per il mio affare ?   5

GIULIO.   Quale ?

RANETTI.   La sfida!

GIULIO.   Se tu potessi scusare senza di me ?   Vedi
bene ?[2]

RANETTI.   È perchè tu sei il Presidente del Circolo.   10

GIULIO.   Signore Iddio![3]

RANETTI.   Abbi pazienza![4]

GIULIO.   A che ora è l'appuntamento ?

RANETTI.   Alle cinque al Circolo.

GIULIO.   Sono le tre.   Ci sarò.   15

RANETTI.   E se incontro Fabrizio te lo mando.

GIULIO.   No.... non gli dir nulla.   E va' via—
lasciami pensare—va' via.

RANETTI.   Addio!

                         Scampanellata violenta.   20
Questo è Fabrizio e sa tutto: si sente dalla mano.[5]

GIULIO.   Non una parola.

RANETTI.   Siamo intesi eh ?[6] Non mi batto.

                                     Via.

SCENA OTTAVA

FABRIZIO *e* GIULIO

FABRIZIO.   Tu hai firmato una cambiale di mio   25
padre ?

Giulio. Chi ti ha detto?

Fabrizio. Lo sai già! Ranetti è venuto ad avvertir-
tene. Non ci ha creduto nemmeno lui! Sono disonorato!

Giulio. Ma no, Ranetti non è venuto per questo.

5   Fabrizio. Non importa! sono disonorato!

Giulio. E quando l'avessi firmata?[1]

Fabrizio. Non è vero.

Giulio. Ma se....

Fabrizio. Non è vero, non è vero. Non cer-
10 care d'ingannarmi. Me l'avresti detto. Prima di
tutto non l'avresti firmata. Tu non metteresti il tuo
nome d'accanto a.... E poi me lo avresti detto. E
va bene![2] Sono il figlio di un falsario.

Giulio. Fabrizio!

15 Fabrizio. Oh! non mi fa nemmeno meraviglia,
guarda! Non ho visto la cambiale, ma appena il
Dottore mi ha detto che aveva la tua firma, ho pensato
subito: è falsa! Subito! Come alla cosa più naturale
del mondo! Lui stesso stamattina.... ora capisco![3]...
20 Mi rincresce che è il tuo nome di mezzo!

Giulio. Senti, Fabrizio.... non l'ho firmata, è
vero, è inutile ingannarti. Tu resti quello che sei e
nessuno conosce nulla. Dunque tutto si riduce alla
perdita del denaro.... che è una cosa gravissima.

25 Fabrizio. Oh![4]

Giulio. No—gravissima, lascia stare.[5] Ad ogni
modo nel male non è il peggio danno.[6] Questione di
trovarli.[7]

Fabrizio. Per questo....

Giulio. Faremo così. Tu mi passi una scrittura d'obbligo con cui vincoli in mio favore per quattro anni la rendita....

Fabrizio. Ma.... 5

Giulio. Lasciami finire.

Fabrizio. Spero di aver provveduto.

Giulio. Bene, mi dirai dopo le tue combinazioni; adesso sta' a sentir le mie. Tu sei più agitato di me, dunque c'è probabilità ch'io ragioni meglio. 10 Tu vincoli in mio favore per quattro anni la pensione di due mila lire che ti passa il Maraschi; di più, siccome io non sono un signore,[1] ti obblighi di pagarmi l'interesse del 5 per cento. I tuoi guadagni te lo permettono. D'altronde questo andrà sempre scemando. 15 E io riconosco la firma e pago.

Fabrizio. Grazie—no!

Giulio. Nota che non devo ricorrere a nessuno per avere i quattrini. Ranetti mi ha portato stamane undici mila lire di mia parte per l'affare dei molini che 20 tu conosci. Dunque li ho.

Fabrizio. Grazie, ma è già fatto. Ho già quasi disposto e avrò la somma domani.

Giulio. In che modo?

Fabrizio. Una combinazione. Ti assicuro.... 25

Giulio. Ti rincresce che paghi io? ma io ti do la somma.

Fabrizio. Non è questo: ti dico che ho trovato.

Giulio.   E dimmi anche come. Se esiti è segno che è un carrozzino. So bene che non mancheresti di fiducia in me.

Fabrizio.   Ho realizzato il capitale.

5   Giulio.   Del tuo vitalizio?

Fabrizio.   Sì.

Giulio. Con Maraschi? Maraschi ha acconsentito?

Fabrizio.   Sì.

Giulio.   Quanto ti dà?

10   Fabrizio.   Più di quanto mi occorre.

Giulio.   Per Dio! lo spero bene! Ti occorrono otto mila lire!

Fabrizio.   Me ne dà dodici.

Giulio.   Dodici mila lire per un vitalizio di due 15   mila! Con un giovane di 28 anni, robusto, che ha 30 anni di vita, a dir poco, davanti a sè. E lui te ne paga sei![1] Che ladro!

Fabrizio.   Ti prego di non insistere.

Giulio.   Hai un bel pregare![2] Sei matto!

20   Fabrizio.   L'importante è di pagare.

Giulio.   Subito che[3] pago io.

Fabrizio.   Non voglio debiti.

Giulio.   Dal momento che sei sicuro di render meli.

Fabrizio.   Potrei morire.

25   Giulio.   Prima di quattro anni?

Fabrizio.   Chi lo sa! Tu hai famiglia.

Giulio.   Ebbene facciamo così. Tu possiedi ancora quella bicocca a Gardena.

Fabrizio.   Quattro muraglie.[1]

Giulio.   Quattro muraglie che sono una casa.
Pastòla te l'ha voluta comprare.

Fabrizio.   E non volli disfarmene.

Giulio.   In tua vita.   Ma se devi morire prima   5
di questi benedetti quattro anni.

Fabrizio.   Guarda, Giulio, ho appuntamento con
Maraschi.   Ti ringrazio di quello che vuoi fare per me.
Non ne dubitavo.   Lascia che ne esca a modo mio.
Non sono un ragazzo.   10

Giulio.   Ma sì che lo sei e caparbio.[2]   È così
assurdo quello che fai, che.... ci dev' essere qualche
ragione che non vuoi dire, perchè non viene in mente a
nessuno.   Nemmeno se ti offrissi un patto disonorevole.   Eviti perfino di guardarmi: si direbbe che ti   15
pesa accettare un piccolo servizio.

Fabrizio.   Sono già troppi.

Giulio.   Ah! è per questo?   Bada, questo è il
ragionamento degl'ingrati.   D'altronde, che servizio
ti ho reso?   20

Fabrizio.   Mi hai accolto, mi hai ospitato, mi hai
dato da lavorare, hai spartito con me i tuoi guadagni....

Giulio.   Oh! oh!   Come li conti!   sì che ne tieni
registro!

Fabrizio.   Ebbene sono orgoglioso; non voglio che   25
la gente....

Giulio.   Che ci ha vedere la gente?[3]   Vieni qui,
vieni qui: oggi non puoi ragionare a segno.   Ma

appunto per questo devo supplire io.   È naturale che
ora in te, ferito così nella tua dignità e nella tua fierezza,
l'orgoglio s'inacerbisca e che t'ingrossi le cose....   E
mettiamo, puoi anche credere[1] che io, colpito dalla
5 gravità e dall'urgenza del pericolo, abbia pensato un
provvedimento fuori di luogo.   Ebbene, sentiamo una
terza persona che non sia al fatto.[2]

FABRIZIO. Ma....

GIULIO. Non un estraneo. Guarda, chiamo mia
10 moglie!

FABRIZIO *prontissimo*.[3]   No!

GIULIO. Essa è di buon consiglio e conosce le tue
condizioni.

FABRIZIO. No, no!

15 GIULIO. Abbiamo parlato insieme tante volte dei
tuoi affari.... tu stesso....

FABRIZIO. Non voglio.

GIULIO. Oh non temere, non dico parola della
cambiale. Essa non saprà mai.[4] Le faccio il quesito.[5]

20   *Va verso il fondo.*

FABRIZIO. No—no, Giulio! te lo proibisco!

GIULIO. Ma sei pazzo!

                                        Chiama.

Emma! Emma!

25 FABRIZIO *per partire*. Addio!

GIULIO *trattenendolo*. Ah no! Stai qui.[6]

                                        Pausa.

Lo senti eh! che ti darà torto? Vedrai, alle prime
parole! È così evidente!

SCENA NONA

Emma *e detti*

Emma. Mi hai chiamato?

Fabrizio *fa un rapido movimento verso Emma.*

Giulio *interponendosi.* No, no, no! Non preve-
nirla. Essa non deve sapere!

Giulio è in mezzo, Emma a destra, Fabrizio a sinistra. 5

Emma *impaurita.* Che cos'è?

Giulio. Vogliamo sentire la tua opinione....

A Fabrizio.

Di' pur tu se vuoi.[1]

Fabrizio. È inutile, non accetto.   10

Giulio. Allora parlerò io. Fabrizio deve pagare
domani una somma di otto mila lire. Non l'ha naturalmente. È un debito d'impegno che gli ha fatto suo
padre. Per procacciarsele ha pensato di realizzare il
capitale di una pensione che gli deve passare Maraschi. 15
Ma il Maraschi che è un ladro, offre dieci per quello
che vale trenta.

Fabrizio. Come vuoi che una signora[2]....

Giulio. Oh Emma sa fare i conti benissimo. Io
gli ho offerto la somma.   20

Fabrizio. E io non voglio.

Giulio. In prestito, bada. Tu sai che stamane
Ranetti mi ha portato.... Cogl'interessi.[3] Che ne
dici tu?

Emma. Ma non saprei.... è una questione.... 25
come posso io?...

FABRIZIO.   Ma sicuro!

GIULIO.   In prestito ti dico—per impedirgli di fare un carrozzino.

EMMA.   Capisco, ma....

5   GIULIO.   Ma?[1]...

FABRIZIO.   Vedi che essa pure.... È così imbarazzante questo discorso.

GIULIO *a Emma*.   Tu non trovi?[2]

EMMA.   Che vuoi? Il miglior giudice è lui. Se
10   non crede.... avrà i suoi motivi.

GIULIO.   Fuori questi motivi.

FABRIZIO.   Li ho detti.

GIULIO.   Delle assurdità—E tu Emma?

FABRIZIO.   Ah adesso hai visto![3]

15   GIULIO.   Lascia, lascia, ero così lontano da aspettarmi.[4]

EMMA.   Non vorrà che la gente....

GIULIO.   Anche tu l'hai colla gente![5] È strano
che ti vengano in mente delle obbiezioni che io non
20   avrei mai sognato. In un affare fra noi due, che ci ha
che vedere la gente?

FABRIZIO.   Si saprà che ho pagato.... si sa che non
li ho.... se non dimostro dove li ho presi....

GIULIO.   Li hai presi da me—andremo dal notaio,
25   se vuoi.

FABRIZIO.   Ecco.... e diranno....

GIULIO.   Che siamo amici.

EMMA.   Per te stesso.[6]

GIULIO.   Per me? Cosa possono dire di me?

Fabrizio. No—ma....

Giulio. Cosa possono dire di me? Che faccio per lui quello che lui farebbe per me. Tu non credi?

> *A Fabrizio che vuole interrompere.*

Lascia! 5

> *A Emma.*

Tu non credi che Fabrizio?...

Emma. Sì certo.

Giulio. E dunque?[1] Un aiuto di questo genere è vergognoso per chi lo accetta, e ridicolo per chi lo dà, 10 solamente se è immeritato.[2]

Fabrizio. Giulio!

Giulio. Ti prego di lasciarmi dire. Parlo con lei. Vattene se vuoi.

> *Ad Emma.* 15

Proprio tu stai dalla sua?[3] E senza esitare un momento, così risolutamente. Bisogna dire ch'io ho perduta la testa,[4] perchè la cosa mi pare così chiara! Bisogna dire che sia una fissazione. Sarà una fissazione. Spiegati, Emma. 20

Emma. Non dico mica la mia opinione—io sono una povera donna.... capisci?... cerco d'indovinare quello.... che.... egli....—Probabilmente Fabrizio penserà che tu hai famiglia.

Giulio. Sì—me l'ha già detto anche lui! Tu 25 ripeti quello che m'ha detto lui.

Emma. È certo che non gli puoi imporre....

Giulio. I miei servigi eh? Di' la parola anche tu: che sono già troppi!

EMMA. No.... ma se il suo orgoglio....

GIULIO. Quello che è certo si è che se vi foste intesi prima non andreste più d'accordo.[1]—Oh Emma! non senti com'è ingeneroso?

5   FABRIZIO. Ma vedi come metti la questione fuori di posto!

GIULIO. È così poco naturale.

FABRIZIO *violentissimo*. Basta insomma!

GIULIO. Basterà, basterà.[2]—Hai un tono![3] Ba-
10 sterà. Non mi hai mai parlato con quell'accento.

FABRIZIO. Perdonami. Ma d'altronde è un affar conchiuso.

GIULIO. Ah! Avevi detto: quasi.[4]

FABRIZIO. Avrò sbagliato; sai in che stato ero.

15   GIULIO. Sì, sì, e anche adesso sei in uno stato....
e anche Emma.

FABRIZIO. È naturale che essa....

GIULIO. Oh non hai da giustificarla. Ti dura il mal di testa eh?[5]

20   EMMA. Sì.

FABRIZIO. Ma guarda! Lasciamola, parleremo poi.

GIULIO. Oh no! se è conchiuso. Questo argo-
mento taglia la testa al toro, perchè avrai già scritto eh? Cogli usurai se non si scrive!...

25   FABRIZIO. Ho scritto.

GIULIO. Oh bene! D'altronde se il ricevere un beneficio da me ti disonora....

FABRIZIO. Non ho detto....

Giulio. Ma sì.... e anche Emma la pensa così.
Quello che mi fa meraviglia è che tu abbia avuto
tempo.... perchè il debito lo hai conosciuto un'ora fa.

Fabrizio. Ne avevo già parlato prima.

Giulio. Con Maraschi ?   5

Fabrizio. Sì.

Giulio. Prima di averne bisogno ?

Fabrizio. Perchè voglio andar via.

Giulio. Ah!

Fabrizio. Sai che già ti avevo accennato....   10

Giulio. In nube sì—ed ora hai deciso ?

Fabrizio. Non posso più star qui. Mio padre
mi perseguita. Parto domani.

Giulio. E non me lo dicevi ?[1]

Fabrizio. Oh! te lo avrei detto!   15

Giulio. Al momento di salire in diligenza.[2]

Fabrizio. Contavo di parlartene oggi. La signora Emma lo sa.

Giulio *colpito*. Tu lo sapevi ?

Emma. Sì.   20

Giulio. Da quando ?

Fabrizio. Da stamattina.

Giulio. Fabrizio ti aveva detto stamattina....

Fabrizio. La signora Emma aveva avuto incarico
da mio padre....   25

Giulio. Rispondi sempre tu quando interrogo
mia moglie. Temi che si confonda ?

Fabrizio. No, ma sembri un giudice istruttore![3]

Giulio.   In caso, è indubitato che voi altri sembrate due....

Fabrizio.   Che pensi?

Giulio.   Non ho detto la parola! Non so quello
5   che penso. Delle cose informi. Vedo confusamente....

A Emma.

Tu stamattina hai parlato con Fabrizio, dell'incarico
avuto da suo padre?

Emma.   Sì.

10   Giulio.   Perchè chini la testa? Gli hai fatta la
proposta di sposare la figlia di Rubbo?

Fabrizio.   Certo!

Giulio.   Non affrettarti a confermare tu—tu non
sai quello che fai.

15   Fabrizio.   Perchè?...

Giulio *ad Emma.*   Gli hai fatto la proposta?

Emma.   Sì.

Giulio.   Ricordati però che mezz'ora fa, qui, hai
detto di no.[1]

20   Emma.   Io!

Giulio.   Mi hai detto che Fabrizio s'era trattenuto
due minuti appena.

Fabrizio.   Infatti....

Giulio.   Infatti ha mentito!—Perchè hai mentito,
25   Emma? Ci dev'essere una ragione. Non me la puoi
dire? È la prima volta che tu mentisci ch'io sappia...,
ch'io sappia, bada![2] Perchè sono così credulo io!

Atterrito.

Lo vedi bene quello che penso, lo vedi bene, Emma?
Dimmi di no—dimmi di no—Emma! Per carità!
Emma!

Le si avvicina supplichevole.

FABRIZIO *interponendosi rapido.* Giulio!   5

GIULIO. Che fai? La difendi! Parola d'onore
che hai l'aria di difenderla. Essa può dunque temere?

Imperioso.

Va' via.

EMMA. Ah!   10

Cade ginocchioni.[1]

FABRIZIO. Giulio!

GIULIO. Via dalla mia casa!

FABRIZIO. Ti giuro che essa....

GIULIO *terribile.* Va' via!   15

Fabrizio via.

GIULIO *cade piangendo sopra una sedia.* Ah! ah!
ah! ah!

Cala la tela.

ATTO TERZO

La stessa scena dei precedenti

SCENA PRIMA

Ranetti, Marta *e poi* Giulio

Ranetti *è in scena aspettando.*

Marta *entra dallo studio.*   C'era poi[1] e non si era mosso!

                                                    Via.

Giulio.   Ah sei tu?   Cosa vuoi?   5

Ranetti.   Ho bussato per un quarto d'ora alla porta del tuo studio.

Giulio.   Non ho sentito.

Ranetti.   Hai la faccia stravolta e gli occhi grevi come uno che ha dormito.   Anche a me succede spesso 10
di fare un pisolino[2] sulle carte.   Dormivi?

Giulio.   No, lavoravo.   Facevo la comparsa conclusionale per la causa degli eredi Morèna.

Ranetti.   Per Dio come c'eri dentro![3]   Ho picchiato tanto!   15

Giulio.   È una bella questione.

Ranetti.   E così tu servi gli amici?   Tu badavi alle comparse.

Giulio.   Che dovevo fare?

Ranetti.   E io aspetta al Circolo![4]   20

Giulio.   Oh!   sono già le cinque?

Ranetti.   Sono le sei.   E non mi hai nemmeno mandato Fabrizio.

Giulio.   Ah Fabrizio!   Non l'ho veduto.

Ranetti.   Come?   Se ero qui quando è venuto.

5   Giulio.   Ah già!   Ma guarda![1]   Scusa un po' eh? Ho la testa.[2]—Andiamo allora.

Ranetti.   Dove?

Giulio.   Al Circolo.

Ranetti.   Oh sì adesso.   È tutto accomodato.

10   Ti aspettavo là per dirtelo.

Giulio.   Oh bravo!

Ranetti.   Il colonnello l'ha saputo.   Non glie l'ho detto io veh!   Ma Béssola avea[3] visto gli uffi-ciali entrare a casa mia.   La questione era nata....

15   ti ricordi?   te l'ho detto stamattina.... la storia delle farfalle.... che Béssola....

Giulio *come trasognato*.   Già.   La madre di Bés-sola era una francese.[4]

Ranetti.   E questo, cosa ci ha a che fare?

20   Giulio.   Nulla, così.[5]   Si sente una parola e la testa lavora.... eh!   eh!...

Ranetti.   Béssola era sulla bottega di Pastone il ceraio che è proprio dirimpetto alla mia porta di casa: sai che fa l'asino colla moglie di Pastone, quella

25   bionda....

Giulio *fisso in qualche idea che gli sta in mente*. Eh! eh! eh!   *Ride*.

Ranetti.   Quando ha visto entrare gli ufficiali....

GIULIO *c. s.* Pastone è un cattivo soggetto.

RANETTI. Sì. Un po' ladro, un po' cane, ma....

GIULIO. E sua moglie lo tradisce lo stesso. Eh!
eh! eh!

Ride. 5

RANETTI. Mi stai a sentire?[1]

GIULIO. Sono tutto orecchi, mio caro. Racconta.

RANETTI. Adesso mi hai imbrogliato.[2] Dov'ero?

GIULIO *sempre ridendo*. Tu credi che si diano degli
appuntamenti? eh! eh! eh! 10

RANETTI. Sei molto allegro!

GIULIO. Sì: è la primavera.

RANETTI. Béssola ha capito che venivano per la
quistione del Cotillon, e fila[3] al Circolo a portar la
notizia! Al Circolo c'era il colonnello che è una perla 15
d'uomo!

GIULIO. Scapolo eh?

RANETTI. No, Chinese, decorato dell'Ordine di
Brama Putra.[4]

GIULIO. Che dici? 20

RANETTI. Rispondo a segno come tu domandi.[5]
Se vuoi farmi dire.... avanti.... musica!... tu batti,
io ripicchio e andiamo d'accordo.[6]

GIULIO. Seguita, va'.[7]

RANETTI. È bell'e finito.[8] Il colonnello s'informò, 25
chiamò gli ufficiali, mandò a cercare di me, poi ci
raccolse tutti a casa sua.... c'era anche il tenente
Rovi, un bravo ragazzo! Se tu sentissi come imita

Ferravilla!¹ sai, quell'attore milanese. Io non ho mai
sentito Ferravilla, ma.... tale e quale.² Il colonnello mi
domandò: Cosa vuole lei dal tenente Rovi? Io gli risposi: Non voglio niente, ne ho già avuto;³ mi ha dato
5 del villano.—E lei cosa vuole dal signor Ranetti? Mi
ha preso per un braccio.—Bene, lo preghi di darle la
mano e lo prenda per la mano. E fu lì che stringendo-
mela, il tenente ha detto una frase.... non mi ricordo....
in milanese, ma così buffa, che siamo scoppiati a ridere
10 tutti quanti. Bravi ragazzi! Pensare che loro vanno
alla guerra! Stasera ho offerto da pranzo io.... e
domani il tenente. Voleva esser lui il primo; ma il
colonnello, sa anche il latino, ha detto: *Cedant arma*⁴....
Tu ci vieni?

15   GIULIO. Io?

RANETTI. Si sa! Tu certo, e vorrei anche Fabrizio.—Fabrizio non parte mica che tu sappia?

GIULIO. Perchè?

Subitamente attento.

20   RANETTI. Ha accomodato l'affare della cambiale?

GIULIO. Non so.

RANETTI. Non l'hai mica pagata tu eh?

GIULIO. No! no!

Ride.

25 no! no! fino lì no! eh! eh!

RANETTI. Che hai?

GIULIO. È un nervoso che mi piglia.

RANETTI. Tu lavori troppo!

GIULIO. Quando si ha la fortuna di avere una famiglia.... Ma non pago io, dillo pure.[1] Paga lui. Ne ha.[2]

RANETTI. Ma paga, insomma.

GIULIO. Oh! Io credo!   5.

RANETTI *quasi a sè stesso*. Imbarcherà il padre forse.

GIULIO *insospettito*. Imbarcherà[3]....

RANETTI. Sì lo farà partire.

GIULIO. Perchè?   10

RANETTI. Oh ti dirò. Lo cercavo per invitarlo e sono passato al Cannon d'Oro per combinare il pranzo. Siccome Fabrizio sta proprio lì d'accanto, ho domandato alla padrona se lo aveva visto passare. Mi dice: è stato qui un momento fa a ordinare una   15 carrozza.—Per quando?—Per subito. Una carrozza chiusa che deve trovarsi al ponte del Vasco. Capirai che se partisse lui, salirebbe in carrozza all'albergo, l'ha sull'uscio di casa![4] Si vede che vuole imbarcare il padre senza farsi scorgere. Non ti ha detto nulla? 20

GIULIO. No.

RANETTI. Ma non pare anche a te?

GIULIO. Sì, sì.

RANETTI. È la meglio già![5] Che farne qui di quel mobile?[6] Sai che tiene in casa la Gazza,[7] la figlia del   25 sagrestano del Duomo, quella che ebbe due processi per truffa!

GIULIO *segue il proprio pensiero*. È evidente.

RANETTI.   Se almeno se la portasse via, sarebbe un famoso repulisti.[1]

GIULIO.   Oh c'era da aspettarselo.[2]

RANETTI.   Il repulisti? Non tanto! Se i cre-
5   ditori lo sapessero non lo lascierebbero partire....

GIULIO *c. s.*   Perchè? Oh! se tu credi che io li trattenga! Per me.... guarda.... padronissimi![3]

RANETTI *guardandolo stupito*. Sai cosa ti voglio dire?

10   GIULIO.   Di' pure di' pure liberamente.... tanto o prima o poi....

RANETTI.   Mi fai paura!

GIULIO.   Paura? Eppure no! non faccio paura.[4]
                                        Sorride tristemente.

15   RANETTI.   Che hai?

GIULIO.   Nulla!

RANETTI.   Tua moglie è in casa?

GIULIO.   Sì.... ci sarà ancora.[5]

RANETTI.   Si può vederla?

20   GIULIO.   No, lasciala stare. Vuoi dirle che ti sembro strano? Non t'inquietare. Sono stato due ore chino sulle carte, ed ho un po' di sangue alla testa! Ma l'aria mi farà bene.—Andiamo.

RANETTI.   Vieni a pranzo?

25   GIULIO.   Con te?

RANETTI.   Se ti ho detto![6] Con me e cogli ufficiali.

GIULIO.   Ah! perchè no? A che ora è il tuo pranzo?

Ranetti.   Alle sei e mezza:[1] subito.

Giulio.   Sicuro—va benissimo—guarda—va benissimo.   Altro![2]   Ci staremo un pezzo eh?!

Ranetti.   Come vorrai, ci stiamo fino a mezzanotte se ti piace.   Se sapessi dove trovare Fabrizio.   5

Giulio.   Oh non verrà.   Questi guai del padre lo hanno molto colpito.   È un uomo tanto delicato! Sì.... Sì.... è meglio così.   Pranzo con te.

Ranetti.   Vieni allora!   10

Giulio.   Usciamo per lo studio.

Ranetti.   Non avverti in casa?[3]

Giulio.   Oh![4]

Ranetti.   Ma no.... ti aspetterebbero.... tua moglie, la bambina.   15

Giulio *colpito*.   Ah la bambina!?

Ranetti.   Avverto io?

Giulio.   No—non vengo.

Ranetti.   Eh?

Giulio.   Mi ricordo ora che ho promesso a mia   20 madre di portarle la bambina stasera.   Mi rincresce ma non posso.   Sarà per un'altra volta.[5]

Ranetti.   Non insisto, ma guarda, vado via inquieto.

Giulio.   Ma no.... che pazzie!   25

Chiama.

Marta?   Vedi?   chiamo Marta perchè vesta la bambina.... ti assicuro.

Ranetti. Va bene, va bene! Buona sera, allora.

Giulio. Buona sera e grazie.

SCENA SECONDA
Marta e *detti*

Marta. Che vuole?

5   Giulio. Accompagna il signor Ranetti e poi vieni qui.

Ranetti. Se tu capitassi almeno a bere un bicchiere dopo pranzo.

Giulio. Chissà! Al ponte del Vasco eh?

10   Ranetti. Che dici?

Giulio. Ah no! Al Cannon d'Oro!

Ranetti. Sì. Ti aspettiamo. Guarda, il tenente Rovi ti farà ridere come un ragazzo. Gli facciamo rifare Ferravilla.

15   Giulio. Perchè no?

Ranetti. A rivederci allora.

Via con Marta.

SCENA TERZA
Giulio *poi* Marta

Giulio. La bambina no.... per esempio! Ah no!

Marta. Sono qui.

20   Giulio. Metti il cappello a Gemma e il mantello.

Marta. La vuole portar fuori?

Giulio. Sì.

MARTA.   A quest'ora? È quasi notte. E il
pranzo?

GIULIO.   Fa quello che ti dico. Pranzeremo più
tardi.

MARTA.   Io venivo per apparecchiare la tavola.   5

GIULIO.   C'è tempo. Va'.

MARTA.   Esce anche la signora?

GIULIO.   No. Dov'è?

MARTA.   Nella sua camera. L'avverto?

GIULIO.   Gemma è con lei?   10

MARTA.   No. Giuoca alla bambola nel corridoio.

GIULIO.   Sei passata nella camera della signora?

MARTA.   Ci sono stata un momento fa.

GIULIO.   Che faceva?

MARTA.   Metteva ordine.[1]   15

GIULIO.   Ah! Vesti Gemma. Devo condurla da
mia madre. Presto. E non dir nulla alla signora: è
inutile!

MARTA.   Va bene.

                                        Via. 20

SCENA QUARTA

GIULIO *solo poi* GEMMA *e* MARTA

GIULIO.   È evidente—Padroni?[2]... tanto!... è
evidente!...

GEMMA *entra correndo vestita con la bambola.*

GIULIO.   Ah sei qui!

               La prende in braccio, la copre di baci. 25

Vieni.... lascia la bambola.

        Getta la bambola sulla tavola di mezzo.

Torniamo subito.   Vieni.

        Via con Gemma.

SCENA QUINTA

MARTA *poi* EMMA

5　MARTA *apre l'armadio a muro*[1] *e ne prende i piatti che porta sulla tavola a mezza luna,*[2] *poi cava dal cassetto della credenza la tovaglia e si dispone a distenderla sulla tavola.*

EMMA.   Chi è uscito ora?

10　MARTA.   L'avvocato colla bambina.

EMMA.   Colla bambina?

MARTA.   Sì—non ha voluto che l'avvertissi.... dice che si pranzerà più tardi.... io intanto apparecchiavo.

15　EMMA.   Lascia pure, farò io.[3]

MARTA.   Più tardi.... cosa vorrà dire più tardi?[4]

EMMA.   Non so.

MARTA.   Fortuna che c'è il lesso[5].... lo levo dal fuoco già.

20　EMMA *porge orecchio.* Hanno aperto lo studio. Guarda un po'.

MARTA.   Sarà l'avvocato Arcieri.... ha la chiave. Guardo?

EMMA.   No, lascia pure.... farò io.

25　MARTA.   Pranza qui l'avvocato?

Emma. No.

Marta. Ah! perchè avvertono sempre all'ultim'ora![1]

Via dal fondo.

SCENA SESTA

Emma *e* Fabrizio

Emma *apre l'uscio dello studio.*   5

Fabrizio *entra.*

Emma. Lo sapevo.

Fabrizio. Ero nascosto sulla scala. L'ho veduto uscire e sono entrato. Tu parti con me. Ho pensato a tutto. Vedrai—ora sei agitata, ma....   10

Emma. No.... non parliamo.... non parliamo. Dopo.... più tardi.... qualche cosa sarà[2].... ma non parliamo adesso. Come si fa ?

Fabrizio. C'è la carrozza fuori al ponte. Tu esci dal giardino.... si può uscire dal giardino ?   15

Emma. Sì.

Fabrizio. Subito allora.

Emma. Subito, subito. Dove andremo ?

Fabrizio. Dove vorrai.[3]

Emma. Non importa. Via di qui. Avremo tempo   20
a pensare.... tutta la vita avremo tempo. Dovunque si vada è irreparabile, non è vero ? E allora ?

Fabrizio. Vatti ad apparecchiare.[4]

Emma. Sì: tu aspetti qui ?

Fabrizio. Io faccio il giro[5] e ti aspetto fuori   25
dell'usciolo del giardino, là non c'è mai nessuno.

EMMA. No—aspettami qui—non avrei coraggio
e bisogna averlo. Che sarebbe di me in questa casa?
Non ci posso stare. Dunque?—Hai visto? Ha
portata via la bambina.

5   FABRIZIO. Sì.

EMMA. Sai perchè? ci ha indovinati.[1]

FABRIZIO. No.

EMMA. Ci ha indovinati.

FABRIZIO. Ma no.... Come vuoi?[2]

10   EMMA. Oh lasciamelo credere.... aiutami a cre-
derlo; non è meglio? E poi ne sono sicura, queste
cose si sentono. Perchè sarebbe uscito ora colla
bambina? È cosa naturale? Non è più il mio posto
questo! Con che diritto io?... Guai se non l'avesse

15   indovinato! Pensa.... se rientrando credesse di tro-
varmi.... se cercasse per la casa.... Oh! oh! oh! no....
no.... lo sa.... È tutta sua la casa ora, tutta tutta,
tutta sua! Noi saremo già lontani.... tornerà, accen-
derà la lampada.... si prenderà la bimba in braccio....

20   le farà tante carezze.... la parte mia![3]

FABRIZIO. Vieni! vieni, vieni!

EMMA. Sì, vado; guarda c'è ancora un barlume
di giorno. È meglio aspettare che oscurisca del tutto.
È più prudente!—Povero Fabrizio! Che catena per

25   te! che impedimento nella tua vita!

FABRIZIO. O sei crudele, Emma!

EMMA. Me lo dirai eh? il giorno che ti sarò
di peso!

Fabrizio. Vedi come sei! Se non ti strappi subito, tu rimani, Emma. Io son sicuro che tu rimani.

Emma. Non vengo mica per te?[1]

Fabrizio. Non mi ami più?!   5

Emma. Ci vengo perchè mi sento indegna di questa casa.

Fabrizio. Sono stato io![2]

Emma. Anche tu!... Ti voleva tanto bene![3]

Fabrizio. Non mi ami più?   10

Emma. Ti amo—ma ti perderò venendo con te.

Fabrizio. Non importa.... vieni.... non andar più di là[4].... vieni come sei....

Emma. Sì sì, come sono.... aspetta.... qui c'è uno scialle.   15

Sulla sedia presso la tavola da lavoro ci sarà uno scialle modestissimo, grigio. Emma lo prende.
Così....

Indica lo studio.

Usciamo di là eh?   20

Si appoggia alla tavola di mezzo per reggersi e vede la bambola, la mostra a Fabrizio.[5]

Fabrizio! guarda!

Fabrizio. Che?

Emma. Guarda. Lei, sì che crede[6] di trovarmi   25 tornando. Domanderà tanto di me! colla sua piccola voce cara. Tanto domanderà! che potranno risponderle?

FABRIZIO. Dio! Dio! Dio!

EMMA. Lei non sa nulla. Si avvezzerà certo a fare senza di me. Sì che l'amerà suo padre![1] E lei.... che adorazione!

5   FABRIZIO *scorato*. Resta.... resta, va![2]... povera donna! resta!

EMMA. E quando sarà grande....

FABRIZIO. Addio!

EMMA *lasciandosi cadere sulla sedia*. Addio!

10   FABRIZIO. Lo sapevo, sai, venendo.[3]

EMMA. Sì, anch'io—volevo—ma sentivo che non avrei potuto.—Dove vai?

FABRIZIO. Non so.

EMMA. Parti subito?

15   FABRIZIO. Sì.

EMMA. Che sarà di te?

FABRIZIO. Lavorerò.

EMMA. Mi scorderai?

Con sorriso triste.

20   FABRIZIO. Non lo spero.[4]

EMMA. Tuo padre resta?

FABRIZIO. Sì. Io non l'ho più veduto. Ho pagato un suo grosso debito e gli ho lasciato....

EMMA. Penserò a lui.[5]

25   FABRIZIO. Grazie!

EMMA. Non diciamoci nulla! eh?

FABRIZIO. No.... ci lasciamo per sempre.

EMMA. Pregherò tanto per te!

Fabrizio.   Addio, Emma!

Emma.   Addio, Fabrizio!

Fabrizio *via per lo studio.*

SCENA SETTIMA
Emma *sola*

Emma.   Così, così.

  Si passa la mano sulla fronte, guarda   5
piangendo la porta per cui è uscito Fabrizio.
Singhiozzando prende la bambola, la bacia, la
depone sul sofà, poi si dispone ad apparecchiar
la tavola: d'un tratto scoppia in un dirotto
pianto e si getta sul sofà col viso nelle mani.   10
In questo,[1] *suono del campanello.*

SCENA OTTAVA
Detta, Gemma *indi* Giulio

Gemma.   Ah ci sei!

      Corre dalla mamma.

Emma.   Oh Gemma, Gemma! Sì ci sono! Cre-
devi di non trovarmi!...   15

    Prendendola in braccio.

Giulio *entra ed osserva.*

Emma *seguitando.* Ti avevano detto che non mi
avresti più trovata? No, bimba mia, no; non sono
andata via, no, cara, non sono andata. Sono qui. La   20
tua mamma sta qui sempre, sempre, sempre con te.
Cara la mia bimba! Con te! Hai il viso freddo

freddo, poverina!   Qui che te lo scaldi!   Qui!   fa freddo
eh fuori ?   Gemma! Gemma!

>   *Si accorge di Giulio, depone*
>   *la bambina e scatta in piedi.*

5   Ah!

GIULIO.   Perchè deponi la bambina ?   Gemma,
va' di là un momento eh ?... un momentino!

>   *Gemma via. A Emma.*

Non sei andata via.—Hai fatto bene.   C'è la bambina!
10 Capisci che non perdono.[1]   C'è la memoria che non si
può distruggere.   Ho creduto che tu andassi: e non
te lo avrei impedito!   Ma così potrò far meglio la
parte mia che è di procacciare uno stato a Gemma.
Se un giorno sarà ricca, potrà forse sposare un uomo che
15 non sia costretto a dare tutto il suo tempo al lavoro,
e chi sa.... che non le riesca più facile essere un'onesta
donna.[2]—Noi siamo due associati in un'opera utile e
sarà così per tutta la vita!   Queste cose non finiscono....
si trascinano disperatamente.[3]   Ora chiama Gemma,
20 e quando sarà pronto,[4] chiamerai anche me.   Io vado
nello studio.   Il mio posto è là!

>   *Si avvia allo studio, Emma*
>   *rimane immobile. Cala la tela.*

FINE

NOTES

Page 15.—1. Pietro Costa (1849–1901) was a well-known sculptor. He lived in Turin for several years.

Page 16.—1. Avvocato as a specific title means "barrister"; *procuratore* means "attorney." In Italy a student graduates from a law school as a Bachelor of Law. After spending two years in a law office, he becomes a *procuratore,* and is entitled to handle cases personally in certain lower courts. Five years' service as *procuratore* or a course of special studies and examinations is necessary in order to earn the title of *avvocato,* and the right to plead, for instance, in the Court of Appeals. Note how sparing Giacosa is in details describing his characters. The descriptive material is supplied in the dialogue.

2. La signora Emma. The form and position of this entry show that Emma is the wife of Giulio Scarli.

Page 17.—1. Note the simplicity of the setting. The play takes place in a small town, presumably in Piedmont, and all three acts occur in the same simple dining-room. The economy of scenery helps to concentrate the attention on the play itself.

2. Studio, *office.* As there are no office buildings, such as we have, in Italy, it often happens that a professional man has his office in one of the rooms of his home, as here.

3. Si guarda attorno, *looks about him.* Equivalent, but preferable, to the phrase *guarda attorno a sè.* When the logical object of an Italian prepositional phrase denoting place is an unemphatic personal pronoun, the use of a disjunctive pronoun is often avoided by treating the prepositional phrase as an adverb (the concluding *a, da,* or *di* of the prepositional phrase being omitted), and representing the logical object by a conjunctive pronoun.

4. Le prende la testa fra le mani, *takes her head between his hands.* Italian is sparing in its use of possessive adjectives. Possession is often indicated, as in *le prende la testa,* by an indirect conjunctive pronoun; and often, as in *fra le mani,* when the identity of the possessor is obvious, there is no verbal indication of possession.

5. Mi fai morire! In these first words of the play Emma expresses at the same time the strength of her love and a sharp fear of discovery. The sense of intimacy is heightened by the second singular *fai*, for the use of the second singular between men and women is in general limited to members of the same family. No close translation is adequate. As a free translation "It's more than I can bear" will serve.

6. Dimmelo ancora. *Tell me again.* The English and Italian idioms often differ as to the expression or omission of unemphatic object pronouns.

7. Ti aspetto sempre! *I am always waiting for you!* A simple tense is often used in Italian in cases in which the English idiom calls for the progressive form. Italian may use *stare* with a present participle, but this form is heavier and much less frequent than the English progressive form.

8. I passi mi ci hanno portato. *My steps brought me here.* See n. 4 to p. 17. The present perfect tense is often used, as here, to denote action in the recent past.

9. Ho sentito. *I heard.* The primary meaning of *sentire* is "to feel," but in spite of the objections of purists it is used in the sense of "to hear" more often than the specific *udire*.

Page 18.—1. Mi vuoi anche bene? *Amare* and *voler bene* both mean "to love"; but *voler bene* is used to express familar affection rather than passion. Emma here indicates her desire to be loved not only with intensity, but also with a serene fondness. No adequate English translation seems possible. An interesting study of the words for love and affection in different languages appears in Garlanda's *La filosofia delle parole*, pp. 328–34.

2. Le mie faccende mi lasciano andar via colla mente e ascoltare la memoria. *My work lets my thoughts wander and lets me listen to my memory.*

3. Ti lascio dire, ti lascio dire. (*In imagination*) *I just let you talk and talk.*

4. Che me ne resti, *that I'll have plenty left over.* Literally, "that there may remain some to me."

5. Come un' orazione. Note the poetic touch in the wording. Giacosa's dialogue combines a remarkably perfect naturalness with frequent glimpses of poetic imagery. Although in his later dramas he abandoned the romantic manner of his early plays, he remained a poet to the end.

6. Per forza, *I'll have to.* This Italian expression is quite common, not stilted like our "per force."

7. Spero, *I hope so.* See n. 6 to p. 17.

8. Non potrei non venire, *I couldn't possibly not come.*

Page 19.—1. Raccapricciare means more than *to shudder,* which is perhaps its nearest English equivalent. Though it is more commonly used to indicate horror, it here suggests extreme emotion.

2. Ti ricordi prima? *Do you remember how it used to be?*

3. Della casa, *of household affairs.* In Italian there is no special word for "home," *casa* being equivalent to "house" or "home" according to the context.

4. Che sarà di noi? *What will become of us?* This query strikes at once a note of foreboding as to the outcome of their love, which already feels the pangs of remorse.

5. Domenica da tuo zio? *Sunday at your uncle's?* This question from Fabrizio suggests that their customary trysts took place at her uncle's villa, which is again referred to in a later scene.

6. Ti voglio anche bene. Fabrizio finally replies to the question thrice asked by Emma earlier in the scene.

7. Allora esco di là. *Then I'll go out this way.* Fabrizio means that he will leave by the back way, and not through the office where the husband would see him. Note also here the use of the present indicative for an immediate future action. This use is much more common in Italian than in English, and will be found very often in this play.

8. Stoviglie here refers obviously to the dishes used by the family, but in Tuscany the word regularly denotes the coarser crockery of the kitchen.

9. Credenza, *sideboard.* *Credenza* is by origin an abstract noun meaning "belief." The development of the meaning

"sideboard" is thus traced in Hoare's *Italian Dictionary;*
" 'Far la credenza,' to be a taster, as a precaution against
poison, in the establishment of a great noble, L. *praegustare;*
this testing was done at a side table of the banqueting hall which
consequently came to be itself called Credenza."

10. Di là here, as often, means "in there," "in the next room."

11. Vermouth is a light cordial made of white wine flavored
with wormwood. It is manufactured chiefly in Turin (the
French call it *turin*) and is used, alone or with water, as a mild
appetizer.

Page 20.—1. Vedi, almost in the irritated tone of "don't
you see . . . ." In this whole scene Emma's short, evasive
answers show her indifference to her husband and to her home,
while Giulio's serene kindness shows how utterly unaware he
still is of any change in his wife, so absorbed is he in his professional success.

2. Dove c'è bambini si sa! *Where there are children it is
to be expected!* The Italian *c'è*, like the French *il y a*, is often
followed by plural words used with a partitive value.

3. Un diavolo per queste cose, *a wonder at such things.* The
word *diavolo*, both as an ejaculation and in such special noun
idioms as this, is used in Italy with a force so general and so
weak that the word is not regarded as impolite.

4. Una sciupona, *extravagant.* The verb *sciupare* means
primarily "to spoil," and by extension "to waste." The aug-
mentative noun suffix has in this case a value of emphasis.

Page 21.—1. Lo chiamo ? *Shall I call him ?* Since the
subject pronouns are usually unexpressed in Italian, an interrogative phrase often differs from its corresponding positive
phrase only in the inflection of the voice, while in print the
punctuation alone serves to indicate the interrogation.

2. Ranetti, a delightful minor character, unwittingly helps
to bring out the story of the protagonists, and by his funny
ways furnishes humorous relief.

3. E detti, *and the same.* This phrase means that the
characters of the preceding scene remain on the stage. Usually
the entrance of an additional person is marked, in the written

form of a play, by the beginning of a new scene. Lately, however, this system of making new scenes has been going out of
fashion.

4. Madama. An affected, Frenchy form of address. The
usual Italian form is *Signora*.

Page 22.—1. Sono in piedi da ieri mattina. *I've been on my
feet since yesterday morning*. To express an action which began
in the past and is still going on in the present, Italian uses a
present tense with *da*, meaning "since," just as French uses a
present tense with *depuis*.

2. Come va? *How goes it?* As colloquial in Italian as in
English.

3. Se la godono, *have a good time*. Very often the feminine
personal pronouns are used, in idiomatic phrases, without reference to any definite antecedent. A similar tendency to use
feminine pronouns appears in colloquial American speech, when,
in referring to such inanimate things as a rope, or a piece of
machinery, we say, "turn her loose," "let her go," etc.

4. Carabinieri. There are three kinds of police in Italy.
The *Reali Carabinieri* are national military police. They serve
both in the cities and in the country, where they go their rounds
on horseback. The *Agenti di Pubblica Sicurezza* are national
detectives, under the local control of the prefects who represent
the central government. The *Guardie di Città* are the local
police, under the orders of the city authorities. Their chief
duties are traffic regulation and the keeping of order in the
streets.

5. Un sette, *a tear*. This use of the word is derived from
the fact that the usual tear in cloth takes the shape of a figure 7.

6. Che ci passava il mio cappello, *(such a tear) that my hat
would have gone through (it)*. The past descriptive is not infre-
quently used as a vivid substitute for the past future perfect.

7. Noi si doveva andare, *we were to go*. A third person
singular verb form preceded by the reflexive pronoun *si* is often
used in place of a first person plural form. This substitution
is especially common in the past descriptive, where the first person plural form is rather heavy.

8. Marsina, *dress suit.* Also called *frac* or *fracche*, or *coda di rondine*, "swallowtail."

9. E dirigevo io. Since the subject pronouns are usually unexpressed in Italian, the expression of a subject pronoun indicates that it is emphatic, particularly when it is placed, as here, at the end of the sentence.

10. La legge . . . . ce la devono fare. The *la* refers to the direct object *legge*, which, being placed, for the sake of emphasis, out of its logical position in the sentence, is here repeated in the form of an object pronoun.

Page 23.—1. Uh scenate! Giulio shows that he thinks that Ranetti is overstating the facts. Translate: "Oh no, not *scenes!*"

2. La queue. In the old-fashioned square dances, such as the quadrille, the lancers, etc., the various formations are ordered in French.

3. Una volta che grido, *one time when I shouted.* The present tense is very often used as a vivid substitute for a past tense.

4. Le tocco, *I'd get the worst of it.* See n. 3 to p. 22. *Toccarne* is more frequent than *toccarle* in this sense.

5. Guarda nello studio poi torna. Italian usage may omit punctuation in many short phrases in which we should expect a comma.

6. L'ho introdotta io . . . . quella figura. See n. 10 to p. 22.

7. Le farfalle che avevo fabbricato. The past participle conjugated with *avere* usually agrees with a preceding direct object, but often remains invariable, as here. The choice is left to the author's taste.

Page 24.—1. Quando non gli toccava, *when it wasn't his turn.* Do not confuse this idiom with *toccarle*, "to get the worst of it."

2. Sperlongone, *lanky chap.* The word suggests the English "tall and thin as a bean pole." The current Tuscan form is *spilungone*.

3. Non ci arriva mai, *never manages to reach one.*

4. Mah! A sort of audible shrug of the shoulders, meaning "Who knows?"

5. Colle buone, *courteously*, is an elliptical idiom in which some such word as *maniere*, "manners," is understood.

6. E una volta. Note the emphatic use of the weak conjunction *e*. It may be accounted for in translation by emphasizing the word "once." Compare the French expression, *et de deux*.

7. Oh diavolo! See n. 4 to p. 20.

8. Non ne ho voglia. *I don't feel like it.*

Page 25.—1. Oh! un' apparizione. *O! just put in an appearance.*

2. Ama i suoi comodi, *likes his comforts*, or, as we say, "takes things easy."

3. Oh scusi! In his mock apology Ranetti shifts to the third person, which is the more formal mode of address.

4. The **pretura** is, roughly, a district court, presided over by a *pretore*, who is a civil judge.

5. Volevo ben dire, *I meant, of course.*

6. Ha altro, *he has other things.*

7. Emma si alza e fa per allontanarsi. *Emma gets up as if to go.* An eloquent action naturally resulting from the sarcastic remarks of Ranetti. It is the author's object with such remarks to bring out still more clearly the feelings of his chief characters.

8. Leviamole l'incomodo is a stock phrase of leave-taking. It might be freely rendered by our: "Well, it's about time for us to go."

Page 26.—1. Tanto . . . . la discrezione . . . . Ranetti follows up his previous remark with: "Anyhow . . . . it is only proper (not to stay too long)," to which Giulio with friendly bluntness replies: "Never mind that."

2. Di' che non sta sulle sue! *Say (if you can) that he does not stand on his dignity! Sulle sue* is an elliptical idiom, but no particular noun is understood.

3. Spirito, *wit*, not "spirit." Compare the French cognate, *esprit*.

4. In quanti incontra, *in everyone he meets.*

5. A questi, *for him.* This *questi* is a masculine singular form, seldom used except as subject.

6. Quell' usuraio di Maraschi, *that usurer Maraschi.* The *di* corresponds to our "of a" in such a colloquial phrase as "that fool of a boy."

7. Quattrino, cent. The *quattrino* was the sixtieth part of a Tuscan *lira*, and was so called because it was equivalent to four *denari*. Nowadays *quattrino* and *denaro* have lost their special value, and are used with reference to money in general.

Page 27.—1. Voi altri, *you.* The forms *noialtri* and *voialtri*, written thus or as *noi altri* and *voi altri*, are often used in speaking of a group or class or company. Compare the corresponding French forms, and the regular personal pronouns of the first and second person plural in Spanish, which correspond in form though not in force.

2. Che non le faccia troppo grosse, *so that he won't get too deep into trouble.* For the use of the feminine personal pronoun, see n. 3 to p. 22.

3. Altro che le farfalle. *Don't talk to me of the butterflies,* that is, "It's a question of things far more serious than your butterflies."

4. Blaterare, *to chatter.* Compare English "blatter," which also comes from the Latin *blaterare.*

5. Ranetti's attack on Fabrizio has brought out from Giulio this long speech, full of exposition, and emphasizing Giulio's sterling qualities of friendship and loyalty. This has the result of enlisting the sympathy of the audience, which already knows how this loyalty has been betrayed.

6. È da un pezzo che ti volevo dire queste cose, *I had been wanting to tell you these things for a long time.*

Page 28.—1. Buono eh? *Good, isn't it?*

2. Litaccia, *bad lawsuit.* The suffix *-accio* has here its normal pejorative value.

3. Un buon diavolaccio, *a good sort.* Here the pejorative ending is used endearingly, in a sense exactly contrary to the one just noted

Page 29.—1. Quando si è contenti, *when one is happy.* A predicate adjective referring to the indefinite *si* is regularly in the plural.

2. Di che lo avessi colto, *at my having caught him.* The subjunctive is natural because the clause is, so far as the speaker's knowledge goes, contrary to fact. Indeed there is dramatic irony in this subjunctive, a nuance that an Italian audience would immediately seize.

3. Egli aveva proprio l'aria di non essere di nessuno. He *really looked as if he didn't belong to anybody.*

4. L'ho invitato ad accompagnarmi che avrebbe pranzato con noi. *I invited him to come with me and take dinner with us.* The *che avrebbe pranzato* means literally "(saying) that he would take dinner." The past future perfect is often used in Italian instead of a simple past future.

5. Non ci fu verso. *He wouldn't do it.* Lit. "there was no way (of making him do it)."

6. Che tornava, *as he went back.*

7. Ti fa pena eh? *You are sorry for him, aren't you?* Giulio asks this question quite naïvely. Emma is so anxious to show her indifference that she replies quite unnaturally. Giulio, however, does not notice this, and continues with his own trend of thought.

8. Macao, *macco,* a game of chance played with one or more packs of cards.

Page 30.—1. L'impresario della diligenza, *the manager of the bus line.* This speech indicates that the town in which the action takes place is situated at the foot of the mountains and at some distance from the railroad station, to which it has regular access by a bus line that meets the trains.

2. C'è caso gliel'avessero a ricusare. *They might refuse their consent.* Lit. "there is a chance they might refuse her to him." The plural verb obviously refers to the parents of the girl.

3. Sarà Fabrizio. *It's probably Fabrizio.* The future tense is often used to express a present probability.

Page 31.—1. Giulio means that, although he himself is about to leave the office to go to court, it will be all right for Fabrizio to leave the office also, since no clients are expected then.

2. Guarda un po'. *See who's there, will you?* Lit. "just look."

3. C.s.=*come sopra,* "as above," referring to the stage direction *dallo studio.*

4. Si accomodi. *Come in.* This expression more often means "won't you be seated?"

5. Vieni. *Come along.* Fabrizio shows at once that he is extremely anxious to get his father out of this house.

6. Grazie! *Very well, thanks!* The word *grazie* does not in itself carry either an affirmative or a negative implication. The inflection of the voice gives it the one implication or the other.

7. Stiamo bene insieme. *We make it very well together.*

8. Oh Ranetti! *Hello, Ranetti!*

Page 32.—1. Se godo le sue grazie, *if I am in your good graces.* A stilted, old-fashioned phrase that shows the affectation and the mock polish of this old scoundrel.

2. Ne abbiamo fatte delle vittime eh? *We made a lot of conquests, didn't we?* The *ne* anticipates the direct partitive object, *delle vittime.* Ettore is using the first person for the second; he really means "you (Ranetti) made a lot of conquests."

3. Ne avranno per un pezzo? *Will it take you some time?* The *ne* refers to the topic under discussion.

4. Le cedo il passo. *I yield the ground to you.* This too is a stilted and affected phrase.

Page 33.—1. Mancano pochi minuti (alle dieci), *it's nearly that now.*

2. Oggi, *this afternoon.* *Oggi* ordinarily means "today." The common phrases for "this afternoon" are *dopo mezzogiorno* and *questo pomeriggio.*

3. Abbia pazienza, vada senza di me. *Pardon me, do go without me.*

4. S'immagini! *Fancy!* The husband is forced courteously to assent.

5. Come si fa? *How can we help it?*

Page 34.—1. Per chi mi pigli? *What do you take me for?*

2. Giudizio eh? E mi voglia bene. *Careful, hey? and be good to me.*

3. Faccia, faccia! *Go ahead, certainly!*

4. Mi dà una soggezione! *He embarrasses me so!* The indefinite article is used here with the force of "such."

5. Abbi pazienza. *Be patient.*

6. Se mai . . . . *In case he should (ask for money).*

7. Che imbarazzo, *how embarrassing.*

Page 35.—1. Se vuole accomodarsi. *Won't you be seated?*

2. Violazione di domicilio. Ettore, in his characteristically exaggerated tone, uses the legal terminology for "intrusion."

3. Tinello, *dining-room.* The word *tinello,* however, really means "servants' hall," or "butler's pantry." Emma uses it in a derogatory tone for her dining-room.

4. Sala, *parlor.* A more common word for "parlor" is *salotto.*

5. Ma qui è bellissimo, qui si sta d'incanto. *It's fine here, we're perfectly all right here.* Italians use the intensive ending *-issimo* with such frequency that it has lost much of its force. It may sometimes be disregarded in translation, and may sometimes be rendered by "very." The word *incanto,* lit. "enchantment," has similarly lost much of its literal force: compare the French adjective *enchanté.*

6. Di potermi aprire, *to be able to explain myself.* When a reflexive verb in the infinitive depends directly upon another verb, the governing verb usually takes the conjunctive pronoun.

7. Mi lascerà levarmi in piedi. *You will let me stand up.* Here the retention of the *mi* with the *levare* is necessary, since the governing verb already has an object identical in form with the *mi.*

Page 36.—1. Egli ha un certo diritto di sindacare la mia vita, io non ho quello, non dico di sindacare, perchè non è il caso, ma nemmeno di entrare nel giro della sua. *He has a certain right to find fault with my life. I have no right, I won't* *say "to find fault" with his life, for there is no question of that, but even to penetrate within the circle of his life.*

2. Note the shrewd stealthiness of words which characterizes Ettore, and painfully embarrasses Emma, who is at bay, but on her guard.

3. È semplicissimo. *It is quite simple.* This adjective refers neither to *discorso* nor, obviously, to *ragione*, but to the abstract fact which Ettore is about to explain.

4. Abbia, *might have.* The uncertainty implied by the use of the subjunctive adds to the insidiousness of Ettore's question.

5. Un qualche legame, *some attachment or other.* This use of *un* with *qualche* is infrequent.

Page 37.—1. Tutti ci passano. *They all go through it.*

2. Le ciarle? Some critics of dramatic technique consider such repetition as a mechanical and therefore unnatural device. It is, however, not only a device which has the object of repeating an important word which part of the audience may have missed, and must hear, but a natural phenomenon in conversation, particularly when one of the characters, like Emma in this scene, is dreadfully embarrassed and wishes to gain time before committing herself to a definite answer.

3. Famoso, *splendid.* Compare the similar French use of *fameux.*

4. Tarocchi, *tarot,* a card game once very popular in Italy, France, Germany, and Switzerland. It is said to have been invented by Jacquemin Gringonneur to relieve the madness of Charles VI of France. It is played with seventy-eight cards; twenty-one numbered with figures, fifty-six of four different suits, and one without number or figure, called *il matto.* It can be played by two, three, or four persons.

5. Non per modo di dire, *not metaphorically.*

Page 38.—1. Non ci vado da un anno. *I haven't gone there for a year.* For the use of the present in this construction, see n. 1 to p. 22.

2. Ridendo male, *with a forced laugh.*

3. Sia. The use of the subjunctive form is due to the doubt implied by the speaker.

4. Tanti pensieri! *So many serious things to think about!*

5. Io sto lì a lavorare. *I sit there and sew.*

Page 39.—1. Mai più! *No indeed!* The *più* has not here the sense of "more," but merely intensifies the *mai*. The very choppiness of Emma's sentences shows an excited earnestness and an emotion that give her away quite clearly to the audience and to the shrewd rascal who is questioning her.

2. Bisogna finirla con questa vitaccia di espedienti. *We must put an end to this makeshift existence.* The pejorative suffix -*accia* denotes better than any adjective the worthlessness of such a life.

3. Un partito conveniente sotto ogni aspetto, *a match suited to him in every respect.* In Italy it is still a common custom for the parents to arrange a match, particularly in connection with financial settlements. The girl is in general expected to contribute an alluring dowry.

4. Senza contare le speranze. The expectations alluded to are presumably those of an imminent inheritance.

5. E si deve far presto. *And we must be quick about it.*

6. Ha preso un tono con me! *He took such a tone with me.* For this use of the indefinite article, see n. 4 to p. 34.

7. Così vibrato, *so excitedly.* Adverbs are usually formed by adding -*mente* to the feminine form of the adjective, but frequently, as here, the masculine adjective assumes adverbial force.

8. Vanno a finire scioccamente e non conchiudono, *end foolishly and don't get anywhere.*

9. Si va guardinghi. *One is cautious.* See n. 1 to p. 29.

Page 40.—1. A point of view characteristic of this kind of fellow: the scorn of a clumsy failure is worse than that of a bad deed.

2. Piantandosele in faccia. *Coming to a stop before her.*

3. Lo metto subito dalla mia. *I'll get him on my side at once.* The word *parte* is understood.

4. Hanno un'arma. *They have a weapon.* The nature of this weapon is not revealed in this act.

5. Quello che vuole, vuole. *What he wants he's bound to have.*

Page 41.—1. Ma che non ci sia lei. *But you must not be there.*

2. Non ne potevo più. *I could not have stood it any longer.* Compare the similar French expression. For the tense, see n. 6 to p. 22.

3. Cos'è stato? *What's happened?* The elision of *cosa* is perfectly natural in rapid speech.

Page 42.—1. Vieni via! Again Fabrizo tries to take his father away. See n. 5 to p. 31.

2. Tu non sai di che si tratta. *You don't know how much is at stake.* Ettore does not reveal in this scene the fundamental reason for his insistence.

3. Non deve essere un capriccio. *It must be something more than a whim.* A *non* used with *dovere* often modifies in thought rather the words that follow than *dovere* itself.

4. Vediamo se ci arrivo. *Let's see if I can make it.*

5. Tenerezza is used to express familiar affection, such as would be normal between father and son.

6. Non si direbbe. *One would not think so.* Compare the similar use of this verb in French.

7. Lascialo dire a me. *Let me be the one to say so.* The *a me* is used for emphasis instead of an indirect conjunctive.

8. Razza, *rank.* The word usually means "race," but here it refers to the fact that Ettore is titled, and therefore a nobleman. The feeling of the aristocracy of birth is still so strong in Italy, in spite of democratic government and customs, that it places an almost insurmountable barrier between the nobility and the "common" people. Note also the peculiar abstract compromises, as shown in this speech, with which Ettore seeks to accord his pride of nobility and his vicious ways.

Page 43.—1. Narciso, *narcissus,* as the stock type of the beautiful youth.

2. Quella pupattola non saprebbe innamorarsi. *That doll would be incapable of falling in love.* In Tuscany *bambola* would be the more usual word for "doll."

3. Ti rinunzio i diritti della primogenitura. According to the rules of heraldry only the first-born son inherits the complete title of his father.

4. Una volta tornato nell'agiatezza, *once well off again.*

Page 44.—1. Perchè tormentarci in tanti, per ottenere essi quello che io non posso dare ed io quello che non cerco? *Why should so many of us plague ourselves for them to get what I can't give and me to get what I don't want?*

2. Non è portando i tuoi abiti smessi che potevo avvezzarmi all'eleganza. *It's not by wearing your cast-off clothes that I could have accustomed myself to elegance.*

3. Mi compiaccio della vita intima. *I enjoy home life.*

4. I patti sono chiari. *It's a clear proposition.* A well-known saying is: *Patti chiari, amici cari,* meaning that a clear understanding will keep men good friends.

Page 45.—1. Ti sei fatto promettere che ti avrebbe aiutato? *Did you make her promise you that she would help you?* See n. 4 to p. 29.

Page 46.—1. Vedi bene, *so you see.* The *bene* merely intensifies the force of *vedi.*

2. Signora Emma! Fabrizio is calling loudly, and therefore uses a formal type of address.

Page 47.—1. Me partito, *once I'm gone,* an ablative absolute construction frequent in Italian.

2. Doveva finir così. *It was bound to end this way.*

3. Mi guardava—mi guardava! *He kept looking at me so!*

4. Deve aver minacciato. *I think he must have threatened me.*

5. Per carità non perdiamoci. *For heaven's sake let's not lose our heads.*

Page 48.—1. È padrone di noi. *We are in its power.* The subject of the *è* is understood from the word *veleno.* This significantly meditative speech is characteristic of Giacosa's subtle yet practical valuation of life, of his sympathetic understanding of both good and evil, and of his kindly yet unyielding condemnation of the latter.

2. Che dirgli da un'ora all'altra? *How can we explain it (your going) all of a sudden?* The infinitive may be used elliptically in idiomatic expressions.

Page 49.—1. Quanto non m'hai supplicato! *How much you have begged me!* The negative is pleonastic.

2. Non fidarti. The Tuscan form would be *non ti fidare*.

3. Ora! Ora! *Right now.* Very frequently in Italian a word is intensified by repetition, rather than by another word, as is more often the case in English.

4. La bambina? Although Emma is exceedingly wrought up by the preceding scene with her lover, as soon as the servant comes in, her mind instinctively imagines that some harm may have occurred to her child. In such human touches of character portrayal and in the dramatic contrast between an intensely emotional scene and one which is banal in its homeliness Giacosa shows his sympathetic craftsmanship.

5. Droghiere, *grocer,* but not exactly our American kind of grocer. An Italian *droghiere* does not sell meat, vegetables, or fresh fruit; but may sell tobacco, salt, and stamps, and may even have a counter for drinks.

6. Scompagna dalle nostre, *that doesn't match ours.*

Page 50.—1. Lasci fare. *Leave it to me.*

2. Emma sees deepening around her the shadows of her fault. Bitterly she realizes that she has betrayed her better self in this clandestine passion, and utters her desperate, because too late, *mai più . . . . mai più.*

3. Con isdegnoso. Words beginning with *s* impure may prefix *i* when preceded by *con, in, non,* or *per.*

4. No eh? *You won't, will you?*

5. Ecco fatto. *It's done.*

Page 51.—1. Prendere i conti, *take down the accounts.* An Italian cook is handed a certain quantity of money, goes to market (*a far la spesa;* see p. 21, l. 14.), buys all that is needed, and then makes an itemized report to her mistress.

2. Se no mi passa di memoria. *Otherwise I'll forget it.*

3. La mezza luna, *the crescent table,* a semicircular table placed against the wall of the dining-room.

4. Salati! *Pretty steep!*

5. Ma strapagarli! *But one must pay high!* Note the elliptical use of the infinitive, and see n. 2 to p. 48. The prefix *stra-* comes from the Latin *extra*.

6. Venticinque (soldi). A *soldo* is worth about a cent.

Page 53.—1. Il cavallo del gradasso, etc. A similar piece of child verse current in New England runs:

> This is the way the farmer goes:
>> Jog, jog, jog.
> This is the way the lady goes:
>> Trot, trot, trot.
> This is the way the little boy goes:
>> Gallopty, gallopty, gallopty, gallopty!

Gradasso is the name of a blustering hero in Ariosto's *Orlando Furioso*. The word has thus come to be used, though rarely, as a noun meaning "blusterer."

2. Oh sì! *Oh come now!*

Page 55.—1. Mi hai fatto chiamare? *Did you have me called?* *Fare* governs the infinitive directly, so that the Italian active present infinitive corresponds to the English passive past participle.

2. N'è vero, for *non è vero*. This elision is not at all usual in Tuscany.

3. Sono gli spilli. *It's the pin money.* The more common word is *spillatico*.

Page 56.—1. Contratto di nozze, *engagement reception*, lit. 'nuptial agreement." It is customary in Italy for a fiancé and his prospective father-in-law to have a formal conference to agree upon the amount of the dowry. At the conclusion of the financial formalities there is usually a reception.

2. Ne spandeva da tutte le parti, *it hung every which way*.

3. Tu sì che starai bene! *You certainly will look well!*

4. Ho comprato male? *Did I buy the wrong thing?*

5. Vilmente, *abjectly*. It is significant to hear this word echoing through the play, spoken at times by the desperate lovers, now by the unknowing husband. It refers to love as a passion which makes its victims "cowardly" before its all-exacting potency. Yet "this is not weakness," as Giulio says a few lines below.

6. Gli è che, *the fact is that.*

Page 57.—1. L'hai forte eh, l'emicrania? *You have a bad headache, haven't you?*

2. Perchè lo aiutiamo a persuaderlo. *So that we may help him to persuade him.* The first object pronoun refers to Ettore, the second to Fabrizio. It is to be noted that Emma always refers to Fabrizio indirectly.

3. In massima ha torto. *On general principles he's wrong.*

4. Chi sarebbe la sposa? *Who may the bride be?* The past future is frequently used in Italian to express what is uncertain or reported on the authority of someone else.

5. Rubbo è un cattivo soggetto. *Rubbo is a bad lot.* Compare the French *mauvais sujet.*

Page 58.—1. Although the play is not brimming with action from our American dramatic point of view, it has a great subtlety and variety of psychological action. Note in this scene the eloquent character portrayal in Emma's attitude toward her blindly devoted husband and her child.

2. Rendimeli pure a quel modo. *Return them that way, if you like.*

3. Ti va? *Does that suit you?*

4. Sei sempre qui chiusa a dar punti. *You're always shut up in here sewing.*

5. Mi passa, *it (my headache) is better.*

Page 59.—1. Va' là che hai avuto coraggio, *you did have courage, though.*

2. The **ne** anticipates the *delle ore.*

3. The **che** is governed by the *ti ricordi,* even though the interrogation point divides the sentence.

4. Come ridevi tutta quanta! *How you did shake with laughter!*

5. This scene is made intensely dramatic by Giulio's unconsciousness of the tragic effect that his merrily reminiscent mood must have on his soul-wracked wife. As Dante made Francesca say:

> Nessun maggior dolore
> Che ricordarsi del tempo felice
> Nella miseria.

6. The **alpini** are a part of the Italian infantry, consisting of young men selected from sturdy mountain folk and particularly adapted for duty on the Alpine frontier. This reference suggests that the town in which the play takes place is near the Alps.

Page 60.—1. Che gli dica, *let her tell him.*

2. Non dà soggezione, *is no one you need mind.*

3. No: lascia stare. *No: let's not.*

4. Avanti. *Let him come in.*

5. E seconda apparizione! See n. 6 to p. 24.

6. Lione, *Lyons,* in French *Lyon,* has been, ever since the Middle Ages, an important center for the manufacture of silks.

7. Ha fatto la spacconata, *made his splurge. Spaccone* means "braggart," "splurger," *blagueur.*

Page 61.—1. Tirandosi dietro il figlio del Biondo, *with Biondo's boy tagging on behind him.* It is still considered undignified in Italy for gentlemen or ladies to carry large bundles in the streets. The following sentence of the text particularly suggests the petty attitude of a small town.

2. Faccia vedere. *Show it to me.* See n. 6 to p. 17.

3. Un diavolo. See n. 4 to p. 20. Translate "devilishly clever," in order to preserve the relation with Ranetti's next speech.

4. La farina del diavolo va in crusca, lit. *the devil's flour turns to bran.* The English equivalent is: "Ill-gotten gains never prosper." The whole remark is suggested by the word *diavolo,* and is spoken irrelevantly, though to the knowing audience it may have a slightly prophetic sound. For Italian proverbs in general see Giusti's *Raccolta di proverbi toscani.*

5. Eh sì! *Oh yes!* in the sense of "oh pshaw, I've no time for guessing!"

6. Vogliamo andare a passeggio con mia moglie. *My wife and I are going for a walk.* This peculiar use of a first plural verb when part of the logical subject is expressed with the preposition *con* is becoming frequent in Italian speech.

7. Mi hanno sfidato. Though duels are becoming more and more infrequent in Italy, and are forbidden, for instance, by military regulations, they are still often regarded, particularly by officers and men in public life, as a matter of chivalrous necessity in the case of personal offenses. In what we now call old-fashioned plays, the duel was a device all too frequently resorted to. Giacosa uses it here in the way of caricature, and to bring out, for the sake of dramatic contrast, the ludicrous elements of Ranetti's character. Giulio treats the whole matter of the duel with a legalistic seriousness and a sincere concern.

Page 62.—1. Bravo! *Exactly.*

2. E vieni qui e discorri d'altro come se niente fosse? *And you come here and talk of other things as if nothing had happened?*

3. Casca il mondo? *Is the world going to smash?* Ranetti means "It's not so serious as all that."

4. Perchè dovete essere in due eh? *Because there must be two of you, musn't there?*

5. Sei tranquillo! *You're very unconcerned!*

6. Sono cose che agitano. *It's the sort of thing that upsets a man.*

7. Se te la lasciamo prendere. Giulio assumes that Ranetti means that he has decided to fight.

Page 63.—1. Cancelliere is a courteous term for "clerk" or "secretary," used, particularly with reference to clerks of court, in administrative and judicial language. For *pretura*, see n. 4 to p. 25.

2. Serva is a deprecatory word for "servant," and would only be used for a cheap kind of domestic.

3. San Biagio obviously refers to a church. Saint Blasius was a bishop of Sebastia, in Armenia, and suffered martyrdom in the year 316. His feast day is the third of February. In popular belief his intervention is supposed to be efficacious in throat troubles.

4. Botteghino del lotto, *lottery shop.* The word *botteghino,* which is a masculine diminutive of *bottega,* is applied specifically to those small shops, scattered profusely throughout Italian cities, which are the offices of a weekly lottery, owned and run by the Italian government, wherein the people gamble away their petty savings. One can buy, for instance, tickets for five numbers between 1 and 90; five numbers are drawn each week; and if three of them coincide with those for which one has bought tickets, the proportionate gain is very large. The institution is very profitable for the government, but does infinite harm. Matilde Serao took the *Lotto* as her subject in one of her most successful novels, *Il paese di Cuccagna*, in which she shows how, especially in Naples, it becomes a tragic obsession among certain elements of the populace. There are popular books entitled, *Libro dei sogni*, which interpret dreams in terms of numbers, and thus pretend to give people the key to the acquisition of great fortunes.

5. Qui a due passi. *Two steps from here.*

Page 64.—1. Si rifà la storia dell'accaduto. *We go over all that happened.*

2. Noi. Giulio, in his recital of the proposed conversation, in accordance with the regular duelistic terminology uses *noi* with reference to his principal, and *voi* with reference to the opponent.

3. per mandato. The use of a small instead of a capital letter shows that Ranetti is merely continuing Giulio's speech.

4. Ma si usa dire così. *But that's the proper form.*

5. Vai troppo per le lunghe. *You make it too long.*

6. Ranetti non si batte. *Ranetti won't fight.* Again the present used for a future.

Page 65.—1. Che ragionando? *Arguing, nonsense!* The *che* is the interrogative adjective meaning "what," and is frequently used, with a repeated word, to give this mocking force.

2. Tutto il resto è vanità. *All the rest is nonsense,* with a vague allusion to the biblical *vanitas vanitatum.*

3. Le forme! *Matter of form!* See p. 62, l. 15; and note the humor of an insistence on technical form coming from Ranetti.

4. Da bel principio, *at the very outset.*

5. Subito che è vero. *Well, since it's true. . . . . Subito che*, in this sense, is not a current expression in Tuscany, where *già che* or *giacchè* would be used.

6. Che! Che! *Nonsense!* When *che* is used absolutely with this meaning it is pronounced with an open *e*.

7. Avete visto se me ne impipavo del pericolo. *You saw how much I cared about danger. Impiparsi* is a very colloquial verb denoting indifference.

8. Pigliarmi del villano e una sciabolata, *to get called a boor and get a sword thrust.* With *pigliarsi del*, "to get called," compare *dare del*, "to call": see p. 24, l. 15.

9. Ci sto. *I'm game.*

10. Pari, pari. *Just like that.* These words reinforce Ranetti's insistence on his gameness.

11. A feeble pun on **cavalleria**, which means both "cavalry" and "chivalry."

12. Cosa vuoi che ti dica? io credo che Fabrizio non ne vorrà sapere. *What can I say to you? I don't think Fabrizio will want to have anything to do with it.*

Page 66.—1. No, quella causa non si fa. *No, there won't be any lawsuit.*

Page 67.—1. Per esempio, *upon my word.* Compare the French *par exemple.*

2. Ma se ti dico . . . . *Why, I'm telling you.*

3. Ah questa! *This is too much!*

4. Io non pago se mi indorassero. *I won't pay, not if they were to line me with gold. Non pago* is the present used for a future, and would be more logically followed by an "if" clause in the present, but the past subjunctive makes it more saliently contrary to fact.

5. Mi spiace, *I'm sorry.* The usual Tuscan form is *mi dispiace.*

6. Avevi la testa via. *You were a bit off.*

7. Una cambiale di 8,000 lire avvallata Giulio Scarli. This note is evidently the *arma* to which Ettore referred, p. 40, l. 17.

8. Ma capisci bene se io . . . . *Why just imagine if I . . . .*

9. Chi è che va a pensare, *who would ever think.*

10. Giulio si fida! . . . Mi fido! *Giulio certainly does trust him! . . . Trust him!* See n. 6 to p. 17.

11. Denari e donne non fidarsi di nessuno! *In matters of money and women trust nobody!* This is apparently a proverb, or at least a maxim, as Giulio calls it immediately below.

Page 68.—1. Sì, va'. *Oh, come on!*

2. Mai più! *Never in the world.* See n. 1 to p. 39.

3. È bell'e finita, *is done for.* The words *bell'e* before a past participle have the value of "already," "completely."

4. Può rispondere. *He can meet it.*

Page 69.—1. Ora vai, *now go.* The regular second singular imperative forms of *andare, dare, fare,* and *stare* are *va', da', fa',* and *sta'* (which are sometimes written without the apostrophe); but in colloquial usage the forms *vai, dai, fai,* and *stai* are more commonly used.

2. Vedi bene? *Don't you see?* See n. 1 to p. 20.

3. Signore Iddio! *Good heavens!* The Italians use the words *Dio* and *Iddio* in mild expletives without any thought of profanity at all, just as the French use *Dieu.*

4. Abbi pazienza! *Excuse me, but won't you please?*

5. Si sente dalla mano. *You can tell it from the way he rings.*

6. Siamo intesi eh? *It's understood, isn't it?*

Page 70.—1. E quando l'avessi firmata? *And if I had signed it?*

2. E va bene! *All right then!* Said in a bitter, desperate tone.

3. Lui stesso stamattina . . . . ora capisco! The reference is to Ettore's unexplained urgency in Act I, Scene 9. See especially pp. 42, 43, and 46.

4. Oh! *Oh, well!* Spoken in a nonchalant tone, as if the money aspect of this matter were by far the less important. Hence Giulio's contradictory reply.

5. Gravissima, lascia stare. *Very serious, indeed, for that matter.*

6. Nel male non è il peggio danno. *It isn't hopeless.* The form *peggio,* properly adverbial, here, as often, assumes the force of an adjective.

7. Questione di trovarli. *It's a question of finding the money.* The *li* refers to *denari* understood.

Page 71.—1. Signore is here used not in the sense of "gentleman," but in the popular sense of "rich man." For certain classes of people the world is divided into *poveri* and *signori*.

Page 72.—1. E lui te ne paga sei! *And he only pays you for six of them!* That is, for six years.

2. Hai un bel pregare! *You may beg as much as you please!* That is, "your begging is useless." Compare the French *avoir beau.*

3. Subito che. See n. 5 to p. 65. *Dal momento che*, in Giulio's next speech, has exactly the same meaning.

Page 73.—1. Muraglie, *walls.* This word strictly denotes very high, thick walls. The general Tuscan word for "wall" is *muro*, pl. *mura.*

2. Ma sì che lo sei e caparbio. *But you are, and a stubborn one at that.* Note the logical development by which this discussion becomes more and more personal and irritated, and dangerously revelatory.

3. Che ci ha vedere la gente? *What have "people" to do with it?* The more frequent form of this idiom is *che ci ha che vedere.*

Page 74.—1. E mettiamo, puoi anche credere, che, *and let us suppose that, as you may even think.*

2. Che non sia al fatto, *who is not informed.* That is, "who is not prejudiced by knowledge of the personal details."

3. Prontissimo, *immediately.* The Italian word, however, is not an adverb, but a superlative adjective referring directly to Fabrizio.

4. Essa non saprà mai. *She shall never know.* Italian cannot distinguish, except by paraphrasing, the shades of future meaning which we differentiate by using the auxiliaries "shall" and "will."

5. Le faccio il quesito. *I'll just place the problem before her.*

6. Stai qui. *Stay here.* See n. 1 to p. 69.

Page 75.—1. Di' pur tu se vuoi. *You go ahead if you like.*

2. Come vuoi che una signora . . . . *How can you expect that a lady . . . .*

3. Cogl' interessi refers to the fact that Giulio is intending to have Fabrizio pay him interest: see p. 71.

Page 76.—1. Ma? *But what?*

2. Tu non trovi? *You don't agree?*

3. Ah adesso hai visto! *Oh, you've seen already (what her opinion is)!* Fabrizio is trying to keep Giulio from questioning Emma any further.

4. Lascia, lascia, ero così lontano da aspettarmi. *Never mind, never mind, I was so far from expecting it (that she would not take my point of view).* Giulio does not wish any objections to his turning to Emma again even after his first disappointment at her attitude, which is so different from his own, and so suggestively identical with Fabrizio's.

5. Anche tu l'hai colla gente! *There you go with "people," you too.* Emma is unconsciously echoing the very objections of Fabrizio: see p. 73, l. 26. The natural consentaneity of the lovers is what inevitably gives them away.

6. Per te stesso. *For your own sake.*

Page 77.—1. E dunque? *Well then?*

2. Note the dramatic irony of Giulio's truthful remark. In the exposition of the situation, it also shows that up to this point the husband suspects nothing, though he is highly indignant at his friend's stubbornness, and disappointed with his wife.

3. Dalla sua. See n. 3 to p. 40.

4. Bisogna dire ch'io ho perduta la testa. *It must be that I am losing my mind.*

Page 78.—1. Quello che è certo si è che se vi foste intesi prima non andreste più d'accordo. *What's certain is that if you had rehearsed it all beforehand you could not agree better.* The *si*, which is pleonastic, delays and therefore slightly emphasizes the verb.

2. Basta insomma! . . . Basterà, basterà. *Enough of this, I say! . . . It will be enough, all right.*

3. Hai un tono! See n. 4 to p. 34.

4. Avevi detto: quasi. See p. 71, l. 22.

5. Ti dura il mal di testa eh? *You've still got that headache, haven't you?* Giulio's tone is no longer sympathetic, but bitter.

Page 79.—1. E non me lo dicevi? *And you weren't going to tell me?*

2. Al momento di salire in diligenza. See n. 1 to p. 30.

3. Giudice istruttore corresponds roughly to our "prosecuting attorney." To such judges Italian law gives the task of initiating criminal suits, carrying on inquests, etc:

Page 80.—1. Hai detto di no. See p. 57, l. 23. For the moment the lawyer is uppermost in Giulio. He feels now that to discover the truth is his predominant concern, the thing essential. Giacosa had studied law, and shows in this scene judicial as well as emotional understanding, as, with perfectly logical steps and with the doomful inevitability of a Greek tragedy, he accompanies his three characters to their mutual undoing.

2. Ch'io sappia, bada! *So far as I know, mind you!* As soon as actual suspicion enters Giulio's heart, action must necessarily come to a quick climax. The revelation has come gradually; its effect is immediate.

Page 81.—1. Cade ginocchioni. Emma's action here is a silent confession of her guilt.

Page 83.—1. C'era poi. *He was there after all.* Ranetti, after knocking unsuccessfully, has evidently got Marta to go into the office.

2. Fare un pisolino, *to take a little snooze.* The very colloquialness of this word strikes a note of easy familiarity.

3. Per Dio come c'eri dentro! Ho picchiato tanto! *Good Heavens, you certainly were deep in it! I knocked and knocked!*

4. E io aspetta al Circolo! *And I waiting at the Club!* This is a peculiar but frequent idiomatic use of the second person singular imperative with a general descriptive value. It somewhat suggests the interpretation: "and I (bidding myself:) 'wait at the Club.'"

Page 84.—1. Ah già! Ma guarda! *Why, yes! Of course!*

2. Ho la testa. *My head is in such a state.*

3. Avea, a popular form for *aveva.* Giacosa uses it here, probably, to avoid the sound of the three *v*'s in *aveva visto.*

4. La madre di Béssola era una francese. Giulio is so pre-occupied with his own catastrophe that he can hardly follow the remarks of Ranetti, and his answers follow more his own thought than Ranetti's. In this sentence Giulio in his bitterness may be making a vague allusion to a lightness of character in women which is sometimes attributed to the French.

5. Nulla, così. *Oh, nothing.*

Page 85.—1. Mi stai a sentire? *Will you listen to me?*

2. Adesso mi hai imbrogliato. *Now you've got me all mixed up.*

3. Fila, *he runs.* A colloquial use of the verb. Compare a similar French use of *filer.*

4. Ranetti tries to vie with Giulio in absurdity of disconnected remarks. *Brama Putra,* lit. "Son of Brahma," is the name of a river, one of the affluents of the Ganges.

5. Rispondo a segno come tu domandi. *I'm answering as straight as you're asking.*

6. Se vuoi farmi dire . . . . avanti . . . . musica! . . . tu batti, io ripicchio e andiamo d'accordo. *If you want me to talk . . . . strike up the band! . . . you beat the drum, I'll join in and we're off together.* Ranetti means "I'll talk when you indicate that you're ready to listen."

7. Seguita, va'. *Go on, do!*

8. È bell'e finito. *That's all there is to it.* See n. 3 to p. 68.

Page 86.—1. Edoardo **Ferravilla,** a contemporary of Giacosa, was an author-actor of Milanese dialect farces. A man of talent and ludicrous personality, he knew how to sketch inimitably certain characters and caricatures. He was perhaps the greatest dialect comedian of his time.

2. Tale e quale. *Just exactly like him.*

3. Ne ho già avuto. *I've already had plenty.*

4. Cedant arma (togae). *Let arms yield (to the gown),* that is, "let the military yield to civilians," a familiar quotation from Cicero's *De Officiis* I, xxii, 77. Italians would pronounce the *cedant* with the Italian soft *c* and an open *e.*

Page 87.—1. Dillo pure. *You may say that.*

2. Ne ha. *He can.* Lit. "he has some (money)."

3. Imbarcherà . . . . It occurs to Giulio at once that Fabrizio is planning to take Emma with him; and throughout the rest of this dialogue he follows the line of thought thus suggested.

4. L'ha sull'uscio di casa. *He lives right next door.*

5. È la meglio già ! *It's the best thing to do, anyhow!*

6. Che farne qui di quel mobile ? *What's the use of keeping that good-for-nothing around here?*

7. Tiene in casa la Gazza, *lives with la Gazza. La Gazza* is a nickname. *Gazza* as a common noun is the name of the magpie, a bird known for its tendency to steal anything that glitters. The subsequent lines indicate the appropriateness of the nickname.

Page 88.—1. Se almeno se la portasse via sarebbe un famoso repulisti. *If he'd only take her along with him it would be a fine clean-up. Repulisti* is a jocose word, of which the usual Tuscan form is *ripulisti.*

2. Oh c'era da aspettarselo. *Oh it was to be expected.*

3. Per me . . . . guarda . . . . padronissimi ! *So far as I'm concerned, I tell you, let them go ahead.*

4. Non faccio paura. *I don't frighten anybody.*

5. Ci sarà ancora. *She probably still is.*

6. Se ti ho detto ! *Haven't I just told you?*

Page 89.—1. Alle sei e mezza. In such expressions the word for "half" is more usually in the masculine form.

2. Altro! *Yes, indeed.*

3. Non avverti in casa ? *Aren't you going to leave word?*

4. Oh! probably accompanied by a wave of the hand, as if to say, "it's quite unnecessary."

5. Sarà per un'altra volta. *We'll make it another time.*

Page 91.—1. Metteva ordine. The more usual form is *mettere in ordine.*

2. Padroni ! See n. 3 to p. 88.

Page 92.—1. L'armadio a muro, *the cupboard,* evidently a cupboard built in the thickness of the wall. Italian houses are all built of stones and brick, and have, therefore, very thick walls.

2. Lascia pure, farò io. *Never mind, I'll attend to it.* The same remark occurs a few lines below, and the repetition emphasizes the fact that Emma wants to be left alone.

3. Cosa vorrà dire più tardi? *What time does "later" mean?*

4. Fortuna che c'è il lesso. *It's lucky we've got boiled meat.* *Lesso* is a piece of beef which is boiled with vegetables to make soup, and then served as a meat course. The cook means here that such meat can wait without being spoiled.

Page 93.—1. **Ah! perchè avvertono sempre all'ultim'ora.** *Oh! (the reason I asked was) because you never tell me till the last minute (when there's going to be company).* This whole scene is made intensely dramatic by the contrast between the servant's trivial remarks and Emma's unspoken anxiety and anguish.

2. Qualche cosa sarà. *Something will turn up.* In her distress Emma is unwilling even to discuss anything, too crushed even to think.

3. Dove vorrai. *Wherever you wish.* Compare a similar use of the future in French.

4. Ad apparecchiare, *to get ready.* In Tuscany this verb is specifically used in the sense of "to set the table."

5. Io faccio il giro. *I'll go around the other way.*

Page 94.—1. **Ci ha indovinati.** *He has guessed what we are planning to do.*

2. Ma no . . . . Come vuoi? *Oh no . . . . How can he?* Lit. "How do you think (he can have guessed)?"

3. With remarkable psychological insight Giacosa here gives us the distracted musings of this poor woman. She instinctively feels that Giulio *must* have guessed their plan to go away; and a deep feeling of pity for him comes to her, as she visualizes his return to the home which her action has made desperately desolate. She still tries to comply outwardly with her lover's proposal, but already feels unable to leave. The inanimate things around the home speak to her potently. With great delicacy of expression and poetic feeling Giacosa shows his mastery in characterization and dramatic climax.

Page 95.—1. Non vengo mica per te? *It's not for your sake that I'm coming, do you know?* Emma's better nature is revolting and is finding this passion insufficient to cause perennial deviation. Already her feeling of defaulted duty is stronger than her love.

2. Sono stato io! *It was my fault.* Lit. "It was I (who caused all this)."

3. Ti voleva tanto bene! *He was so fond of you.* Her words again show that the thought of her husband, not that of her lover, is uppermost in her mind.

4. Non andar più di là. *Don't stop to go into the other room again.*

5. Giacosa has been criticized for introducing here, for the sake of its sentimental value, this episode of the doll. Yet it is as natural as it is powerful, and we cannot object if the author chooses among his material that which will most directly and vigorously produce the desired dramatic effect.

6. Lei sì che crede, *she does think*—with the "she" and the "does" emphatic.

Page 96.—1. Sì che l'amerà suo padre! *How her father will love her!*

2. Resta . . . . resta, va! *Stay . . . . stay, then!*

3. Venendo, *when I came.*

4. Non lo spero. *I do not hope to.*

5. Penserò a lui. *I'll care for him.*

Page 97.—1. In questo, *at this moment.*

Page 98.—1. Perdono: the first singular present indicative of *perdonare.*

2. Giulio wants to give a rich dowry to his daughter, so that she may be free to marry a man of leisure, and not one who so slaves for a living that he leaves his wife too much alone. A point of view bitter, indeed, but natural here.

3. Queste cose non finiscono . . . . si trascinano disperatamente. *These things do not end . . . . they drag on desperately.* A sentence replete with dramatic significance, standing as the very synopsis of the tragedy. Without flaunting any theories on life, Giacosa shows the catastrophe to which this love has led,

and without letting his characters resort to such violent action
as would in Italy seem especially plausible, he leaves them to
continue their lives in desperate estrangement.

4. Quando sarà pronto, *when dinner is ready.*

In the text of this edition certain errors of the Treves
edition are corrected, as follows:

Page and line of this edition	This text	Treves text
18.22	Stasera	Stassera
37.25	sera?	sera!
40.7	vita	via
44.1	questo	queste
44.4	quello	quelli
44.24	primo	simile
49.10	uno	un
55.12	Gemma	Giulio
64.1	que'	que
65.23	impipavo	impippavo
72.15	anni, robusto,	anni; robusto
85.3	Eh	eh
89.25	pazzie!	pazzie?
90.1	sera,	sera.
94.13	È	E
94.13	naturale?	naturale.
94.17	ora,	ora.
95.2	rimani,	rimani.
95.17	grigio.	grigio,

VOCABULARY

The symbol ε denotes a stressed open *e*. The symbol ɔ denotes a stressed open *o*. Vowels italicized or having a written accent are stressed. In words which have more than one vowel and in which the position of the stress is not indicated, the stress rests on the next-to-last vowel; this statement, however, does not apply to the French words. The position of the secondary stress is indicated only in words in which it falls upon an open *e* or *o*. Italicized *s* and *z* are voiced.

Stem-stressed forms of verbs are given in parentheses after infinitive forms in the following cases: the first present indicative form, if the stress rests on the next-to-next-to-last vowel, or if the stressed vowel is *e* or *o*; the past absolute first singular and the past participle, if the stressed vowel is *e* or *o*, or if the form contains an intervocalic *s*.

Nouns ending in *o* are masculine and those ending in *a* are feminine unless indication to the contrary is given, except that surnames are not in themselves either masculine or feminine.

Articles and conjunctive pronouns are not registered.

A star after one of two forms of an Italian word indicates that the starred form is preferable.

A

a, ad to, at, on, for, with, of

abbandonare (**abbandono**) to abandon

abbassare to lower

abbastanza sufficiently

abbattere to tear down

abbellire to beautify

abilissimo very capable

abitare (*a*bito) to live

*a*bito clothing, dress

abitudine *f.* custom, habit

accadere to happen

accanto, d' — a beside

accendere (**accendo, accesi, acceso**) to light

accennare (**accenno**) to hint, indicate

accento accent, tone, manner

accettare (**accetto**) to accept, admit

acchiappare to catch

accogliere (**accolgo, accolsi, accolto**) to receive

accomiatare to dismiss; *refl.* to take leave

accomodare (**accomodo**) to arrange; *refl.* to sit down, come in

accompagnare to accompany, show out

acconsentire (**acconsento**) to consent

accorato sick at heart

accordo accord, agreement, harmony

accorgersi (**accorgo, accorsi, accorto**) **di** to notice, perceive, be aware of

131

accusare to accuse

acɛrbo sour, bitter

ad *see* a

addio goodbye, farewell

addormentare (addormento) to put to sleep; *refl.* to fall asleep

adɛsso now

adocchiare (adɔcchio) to eye, keep an eye out for

adorazione *f.* adoration

adornare (adorno) to adorn

affannare to trouble, grieve

affare *m.* business, affair

affɛtto affection

affidare to intrust

affrettare (affretto) to hurry

aggiungere to add, join

agiatezza easy circumstances

agire to act

agitare (agito) to excite

ah ah, oh

aiutare to aid, help

aiuto aid, help, service

albɛrgo inn, hotel

alleato ally

allegro merry

allevare (allɛvo) to rear, bring up

allontanare to remove; *refl.* to go away

allora then

almeno at least

alpino Alpine; *n.* mountain soldier

alto high, wide

altrettanto as much

altro other, anything *or* something else; sɛnz'— simply; iɛri l'— day before yesterday; *interj.* all right

altronde: d'— on the other hand, anyhow

altrove elsewhere

alzare to raise; *refl.* to rise

amaramente bitterly

amare to love, like

ambizione *f.* ambition

amicizia friendship, friendliness

amico friend

ammettere (ammetto, ammisi, ammesso) to admit, acknowledge

ammirare to admire

amore *m.* love

anacorɛta *m.* anchorite

anche also, even

ancora again, still, yet

andare (vɔ) to go, go on, happen, be, turn to, suit; — per le lunghe to delay, beat around the bush, drag things on; vado e torno I'll be right back; va bɛne all right; ne va dell' onore honor is at stake; va' come on, do, you see; va' là che surely, though; andarsene to go away

animo soul, spirit

anno year

anzi rather, indeed, in fact; — tutto first of all

apparecchiare (apparecchio) to make ready, get ready, set the table, set

apparizione *f.* apparition, short stay

appena hardly, as soon as

appigliarsi (appiglio) a seize, grip, choose

appoggiare (appoggio) to lean, support; *refl.* to lean

apprezzare (apprɛzzo) to appreciate

approvare (apprɔvo) to approve

appuntamento engagement, rendezvous

appunto precisely

aprire (apɛrsi, apɛrto) to open; *refl.* to explain one's self; all'apɛrto outdoors, in the open air

Arciɛri *surname*

ardore *m.* heat, eagerness

argomento argument, subject, point

arguto shrewd, subtle

aria air, manner, appearance; aver l'— to look, seem

arma weapon

arma *Lat. pl.* arms

armadio wardrobe, cupboard

armare to arm

arrampicarsi . (arrampico) to climb up

arrivare to arrive, reach

arrivo arrival; punto di — destination

arrossire to blush

ascoltare (ascolto) to listen to, hear

asino ass; fare l'— to play the fool

aspettare (aspɛtto) to await, expect; *refl.* to expect

aspɛtto appearance

assestare (assɛsto) to tidy up

assicurare to assure

associare (assɔcio) to associate, join

associato partner

assolutamente absolutely

assolvere (assɔlvo, assɔlsi, assɔlto) to acquit

assurdità absurdity

assurdo absurd

attɛnto attentive

atterrire to terrify, dismay

attirare to attract, draw

attivo active

atto act

attore *m.* actor

attorno, — a around, about

attraɛnte attractive

attribuire to attribute

avanti before, forward, ahead, come in

avere (hɔ, ɛbbi) to have; averla con to have it in for; che avete? what's the matter? *Other idioms in which* avere *appears are registered only under the other words concerned*

avvallare to sink, indorse

avvertimento warning

avvertire (avvɛrto) to warn, advise, inform, tell, detect, notice

avvezzare (avvezzo) to accustom

avviare to start; *refl.* to start; avviato well started

avviatissimo successful

avvicinare to bring near; *refl.* approach

avvocato lawyer, barrister

azione *f.* action

B

baciare (**bacio**) to kiss

bacio kiss

badare to take care, pay attention, mind, think, observe, take notice

ballabile *m.* dance music

ballare to dance; **far —** to dandle

ballo dance, ball

bambina little girl

bambinona big girl

bambola doll

banca bank

banchiere *m.* banker

barlume *m.* glimmer, dim light

bastare to suffice, be enough; **basta** well

bastone *m.* stick

battere to beat, strike, strike up; *refl.* to fight

bello beautiful, fine; **— e fatto** already done; **avere un bel dire** to talk in vain

bene well, of course, clearly, good; **nota —** please note; **va —** all right; **voler — a** to be fond of, love

benedetto blessed

beneficio benefit, kindness

benissimo very well

bere, bevere (**bevo, bevvi**) to drink

Béssola *surname*

bestiame *m.* live stock, cattle

bevere *see* **bere**

Biagio *personal name*

bianco white

bicchiere *m.* glass, wineglass

bicchierino small glass

bicocca shack

biglietto note

bilancio account

bimba little girl

biondo blond

Biondo *surname*

bisognare (**bisogna**) to be necessary; **mi bisogna** I need

bisogno need; **aver—di** to need

blaterare (**blatero**) to chatter

bocca mouth

Bonola *surname*

bordo side of a ship, class

borghese *m.* bourgeois, civilian

bottega shop, store

botteghino little shop; **— del lotto** lottery shop

bottiglia bottle

braccio arm

Brama Putra *name of a river*

bravo capable, good, fine; *interj.* exactly; **oh —!** good for you!

brigata party of friends

bruciare (**brucio**) to burn

bruscamente brusquely

Brusio *surname*

brutalmente brutally, roughly

brutto ugly

buca big hole

buffo funny

bugigattolo poky hole, wretched room

buono good, able; colle buone courteously, politely; a buon mercato cheap, easily; dare il buon giorno to greet

burro butter

bussare to knock

C

cadere to fall

caduta fall

caffè *m.* coffee, café, restaurant

cagione *f.* cause

calamaio inkstand

calare to lower, drop

calunnia slander

cambiale *f.* note, bill of exchange

camera bedroom

caminetto *see* camminetto

camminare to walk

camminetto*, caminetto fireplace, grate

campanello bell, doorbell

campare to live

canaglia rabble, scoundrel

cancelliere *m.* clerk

cane *m.* dog; un po' — rather mean

cannonata cannon shot

cannone *m.* cannon

capace capable

caparbio stubborn

capire to understand; si capisce of course

capitale *m.* capital

capitano captain

capitare (capito) to happen by, drop in

cappello hat

capriccio caprice

carabiniere *m.* rifleman, carbineer, gendarme

carattere *m.* character, disposition, capacity

carciofo artichoke

carezza caress

carità charity, love; per — for heaven's sake

caro dear, beloved, you dear!

carriera career

carrozza carriage

carrozzino gig, usurious loan

carta paper, card, document

casa house, home, household, household affairs

casalingo domestic, homelike

cascare to fall

caso chance, case, question; in — anyhow; — mai anyhow, in any case

cassetto drawer

catena chain

cattivo bad, mean

causa cause, suit, case

cavalleria cavalry, chivalry

cavallo horse

cavare to get out, take out; cavarsela to get out of it

cavatappi *m.* corkscrew

cavilloso quibbling

cedant *Lat. 3d pl. pres. subj. of* cedo I yield

cɛdere (cɛdo) to yield, acquiesce, hand over

cena supper

centɛsimo centime

centimetro centimeter

cɛnto hundred; per — per cent

ceraio, ceraiɔlo* chandler

cercare (cerco) to seek, look for, try; mandare a — di to send for

cɛrto certain, certainly

cervɛllo brain

cɛto class

che conj. that, so that, in order that, because, than; non . . . — only; va' là — surely, though

che pron. who, what, which, what a, that, when; che ci ha che vedere? what has he to do with it?

chɛ interj. nonsense

chi who, one who

chiamare to call

chiaramente clearly

chiaro clear, plain

chiave f. key

chinare to bend, lower

Chinese Chinese

chino bent, bending

chissà who knows, perhaps

chiudere (chiusi, chiuso) to close, shut in

ci adv. here, there, to it, in it, at it, of it

ciarla gossip; pl. gossip

cinquanta fifty

cinque five

ciò that

cioè that is

circolo club

citare to cite

città city

cliɛnte m. client

cogliere (cɔlgo, cɔlsi, cɔlto) to pluck, catch

colazione f. lunch

colɛra m. cholera

collaboratore m. colleague, partner

collɔquio conversation

colomba dove

colonnɛllo colonel

colpa guilt

colpire to strike

comandare to order

combinare to arrange

combinazione f. plan, arrangement

come how, how's that, what, as, as though

cominciare (comincio) to begin

commɛdia comedy

cɔmodo comfort

comparsa appearance, argument, brief; — conclusionale brief

compiacere (compiaccio) to please; compiacersi di to take pleasure in

compitissimo most courteous, quite all right

comprare (compro) to buy

comprɛndere (comprɛndo, compresi, compreso) to understand

con with, by, plus; colle buone politely; averla — to have it in for; finirla — to put an end to

concedere (concedo, concessi, concesso) to allow

conchiudere *see* concludere

concitare to excite

concludere*, conchiudere (—usi,—uso) to conclude, settle

conclusionale *see* comparsa

conclusione *f.* conclusion

condannare to condemn

condizione *f.* condition, rank; *pl.* situation

condurre (*p.p.* condotto) to lead, take

confermare (confermo) to confirm

confessare (confesso) to confess

confidare to confide, trust

confondere (confondo, confusi, confuso) to confuse

confusamente confusedly

confusione *f.* confusion

conoscere (conosco, conobbi) to know

consenso consent

consigliare (consiglio) to advise

consiglio advice, counsel, judgment

consulto consultation

contanti *m. pl.* cash

contare (conto) to count, count up, plan

conte *m.* count

contento content, satisfied, happy

contessa countess

continuamente constantly

continuazione *f.* continuation

conto account, bill, count, number; saper fare i conti to understand business affairs

contrariare (contrario) to gainsay, thwart, cross

contratto contract

contro, — di against

conveniente fitting, suitable

coprire (copro, copersi, coperto) to cover

coraggio courage

coro chorus

correre (corro, corsi, corso) to run

corridoio corridor

corrompere (corrompo, corrotto) to corrupt

cortese courteous

cosa thing, what; che — e? what's the matter?

coscienza conscience; avere — to be conscious *or* aware

così so, thus

Costa *surname*

costeggiare (costeggio) to run by

costringere (*p.p.* costretto) to oblige

cotillon *Fr.* cotillon

credenza belief, sideboard

credere (credo) to believe

creditore *m.* creditor

credulo credulous

cretino idiotic

crudele cruel

crusca bran

cui which, whose

cuore *m.* heart

cupola dome

curare to take care of, care, cure

D

da from, by, on, for, with, to, at, of, such as, as to, since, toward, at the house of; dalla mia on my side

dacchè since

damerino dandy

dan *onomatopoetic word*

danaro, denaro money; *pl.* money

danno damage, loss

dare (dɔ, diɛdi *or* dɛtti) to give, go, take; — a to strike; — del to call. *Other idioms in which* dare *appears are registered only under the other words concerned*

davanti, — a in front of, before

debito debt

debole weak

debolezza weakness

decidere (decisi, deciso) to decide

dɛcimo tenth

decisione *f.* decision

decorare (decɔro) to decorate

definitivo final

degradante degrading, mortifying

degradarę to debase

delicato delicate, sensitive

delitto crime; in flagrante — in the act

demolire to tear down

denaro *see* danaro

dentro within, inside; di — off stage

denunziare (denunzio) to denounce

deporre (depongo, deposi, deposto) to put down

dɛstro skilful, right

devɔto devout

di of, with, from, by, about, at, on, to, for, than, as, as for; dire di sì to say yes

diavolaccio mischievous devil; un buɔn — a good sort

diavolo devil, the deuce, fellow, clever chap

diɛci ten

diɛtro, — di behind; tenere — a to keep up with

difɛndere (difɛndo, difesi, difeso) to defend

difficile difficult

difficoltà difficulty, objection

diffidɛnza distrust

dignità dignity

diligɛnza stage, mail coach, bus line

dimettere (dimetto, dimisi, dimesso) to dismiss; *refl.* to resign

dimostrare (dimostro) to show

Dio God

dipɛndere (dipɛndo, dipesi, dipeso) to depend

dire (*p.p.* detto) to say, tell, speak, talk; — di sì to say yes; volɛr — to mean; di' pure go ahead

direzione *f.* management

dirigere (diressi, diretto) to direct, conduct

dirimpetto,—a opposite

diritto, dritto right, straight, bee line

dirotto violent, pelting

discorrere (discorro, discorsi, discorso) to talk, chat

discorso speech, conversation, discussion

discrezione f. discretion, judgment, courtesy, good manners

discussione f. discussion

discutere to discuss

disfare (disfo, disfeci) to destroy; refl. to get rid

disistima disesteem, contempt

disonesto dishonest, dishonorable

disonorare (disonoro) to dishonor

disonorevole dishonorable

disperare (dispero) to despair

disperatamente desperately

disporre (dispongo, disposi, disposto) to arrange; refl. to prepare, make ready

dissoluto dissolute

dissuadere (dissuasi, dissuaso) to dissuade

distanza distance

distendere (distendo, distesi, disteso) to spread

distrarre to distract, occupy

distruggere to destroy

diversamente differently

dividendo dividend, share

dodicesimo twelfth

dodici twelve

doloroso painful, pitiful

domandare to ask

domani tomorrow, morrow

domenica Sunday

domestico, domestica domestic; n. servant

domicilio domicile

donare (dono) to give, be becoming

donna woman

dopo after, afterward; — di after

doppiamente doubly

dormire (dormo) to sleep

dottore m. doctor

dove where

dovere (devo or debbo) to owe, owe money, be obliged; devo I have to, I am bound to, I shall, I am to; m. duty

dovunque wherever

dozzina dozen; stare a — to board

dritto see diritto

droghiere m. grocer

dubitare (dubito) to doubt

due two; tutti e — both; su — piedi at once

duello duel

dunque then, so then, hence, well

duomo cathedral

durare to last, continue

E

e, ed and

ebbene well

ecco here, there, see here, I see, all right, that's it, that is; eccomi here I am

economia economy

ed *see* e

educato educated, bred

egli he

eh eh, hey, well then, what, isn't it

elegante elegant

eleganza elegance

elemento element

emicrania headache

Emma Emma

entrare (**entro**) to enter, go in, get (to), come (to); **non c'entro** I have nothing to do with it

eppure nevertheless, and yet, why

equivoco equivocal

erba grass

erede *m. or f.* heir

esaltare to exalt

esaminare (**esamino**) to examine

esempio example; **per — upon my word**

esercizio exercise

esitare (**esito**) to hesitate

espediente *m.* expedient, makeshift

espresso express, special

essenziale essential

essere (**sono**) to be, belong, become, turn up

esso he, him, it

estraneo strange; *n.* stranger

età age

Ettore *m.* Hector

evidente evident

evitare (**evito**) avoid

F

fabbrica factory

fabbricare (**fabbrico**) to build, make

Fabrizio *personal name*

faccenda piece of work; *pl.* work, housework

facchino porter

faccia face; **in — a** opposite, before

facile easy

facilmente easily, readily

facoltà faculty, ability

falsario forger

falso false, forged; *n.* forgery

fama fame, reputation

famiglia family

famoso famous, splendid, fine, excellent

fare (**fɔ** *or* **faccio, feci**) to do, make, give, have, take, draw up, play, act, be able, be, start; *refl.* to become; **aver da —** to be busy; **— tardi** to be out *or* stay up late; **come si fa?** what can be done? **un' ora fa** an hour ago. *Other idioms in which* **fare** *appears are registered only under the other words concerned*

farfalla butterfly

farina flour

fastidio annoyance

fatto fact, action, business; **essere al —** to be informed

favore *m.* favor

fede *f.* faith, trustfulness

felicità happiness

femminile feminine

ferire to wound, strike

fermare (fermo) to stop

fermo still

Ferravilla *surname*

fidare to intrust; fidarsi, fidarsi di to trust

fiducia confidence

fierezza pride

figlia daughter

figliale *see* filiale

figlio son

figliuolo son, boy, good fellow

figura figure, formation

fila rank, line

filare to spin, run

filetto little thread, fillet of beef

filiale*, figliale filial

finchè until, as long as

fine *m. or f.* end

finestra window

fingere to feign, pretend

finire to finish; finirla con to put an end to

fino until, as far as, up to, up; — lì to that point; di qui — qui just so and so

fiore *m.* flower

firma signature, indorsement

firmare to sign, indorse

fissare to fix, look at fixedly

fissazione *f.* obsession

fisso fixed, absorbed

fitto fixed, close-woven

flagrante flagrant; in — delitto in the act

follia folly

fondo bottom, back of the stage; dar — a to squander

forestiere *m.* foreigner, outsider

Forgia *surname*

forma form; per le forme as a matter of form

forse perhaps

forte strong, loud, bad

fortemente strongly, greatly

fortuna fortune, good luck; — che luckily

forza force, necessity; per — I'll have to

fra between, within, to

francese French

frase *f.* phrase

freddezza coldness

freddo cold

frode *f.* fraud

fronte *f.* forehead

fuga flight

fuoco fire

fuori out, outside, out with

furia haste

futuro future

G

G (*pronounced* gi) G

gabinetto cabinet, private study

galantuomo honest man, gentleman

galera galley, prison

galoppare (galoppo) to gallop

gamba leg

Gardena *surname*

Gazza *nickname*

Gemma *personal name*

generale general; *m.* general

gɛnere *m.* genus, kind

gɛnio genius

gennaio January

gɛnte *f.* people, nation, some-body

gentiluɔmo gentleman

gettare (gɛtto) to throw, toss, throw away, cast aside

ghiotto greedy, fond of

già already, at once, of course, that's it

giacchetta coat

Giacosa *surname*

giardino garden

ginɔcchio knee

ginocchioni on one's knees

giocare*, giuocare (giɔco *or* giuɔco), to play, gamble

giɔia joy

giornata day, day long

giorno day; dare il buɔn — to greet

giovane young; *m.* young man

giovanɔtto, giovinɔtto young man

gioviale genial

giovinɔtto *see* giovanɔtto

giro circle, circuit, turn; fare il — to go around

giù down

giudice *m.* judge; — istruttore prosecuting attorney

giudizio judgment; *interj.* careful

Giulio Julius

giungere to arrive, join, clasp

giuocare *see* giocare

giuɔco game, gambling

giurare to swear, take oath

Giusɛppe *m.* Joseph

giustificare (giustifico) to jus-tify

giusto just, right

gɔbbo hunchbacked

godere (gɔdo), godersi to enjoy; godersela to enjoy it, have a good time

gradasso bully, boaster, blus-terer

grado grade, position

grande great, big, grand, grown up

grandioso grandiose, grand

grave heavy, serious

gravissimo very serious

gravità weight, seriousness

grazia grace; *pl.* thanks

greto (dry) bed (of a stream)

grɛve heavy

grigio grey

grɔppa crupper

grɔsso big, thick, stout; farle grɔsse to make bad mistakes, get into trouble

grossolano coarse, boorish

guadagnare to earn, win

guadagno earning

guaio trouble, misfortune; *pl.* woe

guardare to look, look out; guarda be sure of that, look here, I tell you

guardingo cautious

guɛrra war

I

Iddio God

idɛa idea

ieri yesterday; — l'altro day before yesterday

ignorare (ignoro) to be ignorant of, ignore

imbarazzante embarrassing

imbarazzo embarrassment

imbarcare to embark, ship off

imbrogliare (imbroglio) to confuse

imitare to imitate

immaginare (immagino) to imagine

immagine f. image

immeritato undeserved

immobile motionless

impaurito frightened, terrified

impedimento impediment, obstacle, dead weight

impedire to prevent, hinder

impegno engagement, honor

imperioso imperious

impiparsi di to make light of

imporre (impongo, imposi, imposto) to place upon, impose

importante important

importanza importance, significance

importare (importa) to matter

impossibile impossible

imprecazione f. curse

impresario manager, theatrical manager, contractor

in in, within, at, to, from; siamo in due there are two of us

inabile unskilful, clumsy

inacerbire to embitter

incanto charm; d' — perfectly all right

incarico commission, charge

incassare to put in a chest, take in, collect

inchinare to bend; refl. to bow

incomodo inconvenience, trouble; levar l'— to take leave

incontrare (incontro) to meet

indebito undue, unseasonable

indegno unworthy

indi thence, afterward, then

indicare (indico) to indicate, point to

indietro backward

indiscreto inconsiderate, intrusive

indispensabile indispensable

indomani following day

indorare (indoro) to gild

indovinare to divine, guess

indubitato certain

indulgente indulgent, lenient

indulgenza indulgence, kindness

induzione f. induction, surmise

inezia trifle

infatti in fact

inferiore inferior

informare (informo) to inform; refl. to make inquiries.

informe shapeless, vague

ingannare to deceive

ingegnoso ingenious

ingeneroso ungenerous

ingenuo ingenuous, innocent, green

ingiusto unjust, unfair

ingratitudine f. ingratitude

ingrato ungrateful, thankless

ingrossare (ingrosso) to magnify, stouten

iniziale *f.* initial

innamorare (innamoro) to enamor; *refl.* to fall in love

innanzi before; tirare — to go ahead, continue

inquietare (inquieto) to trouble; *refl.* to worry

inquieto anxious, worried

insidia snare

insidioso insidious, treacherous

insieme together

insignificante insignificant

insistenza insistence

insistere to insist

insomma in short, after all

insospettire to make suspicious

insperato unhoped for, unexpected

intanto meanwhile, anyhow

intavolare (intavolo) to arrange, prepare, brew

intendere (intendo, intesi, inteso) to understand, hear, agree; *refl.* to come to an agreement; s'intende of course; intendersi di to understand

intenzione *f.* intention

interesse *m.* interest

interporre (interpongo, interposi, interposto) to interpose; *refl.* to interfere

interrogare (interrogo) to question

interrogatorio preliminary hearing, questioning

interrompere (interrompo, interrotto) to interrupt

intimo intimate

introdurre (*p.p.* introdotto) to introduce

intromissione *f.* interference, intrusion

inutile useless

invalido infirm

invano in vain

invece instead

invitare to invite

involontario involuntary

io I

irreparabile irreparable

istruttore: giudice — prosecuting attorney

L

là there, right there, then, so; di là in *or* out *or* over there, in the next room, this way; quello là that fellow; va' là che surely, though

ladro thief, robber

lampada (hanging) lamp

lasciare (lascio) to leave, allow; lascia never mind, stop; lascia stare *or* lascia pure never mind

lassù up there

latino Latin

lavandaia laundress

lavorare (lavoro) to work, go to work, sew

lavoro work

legame *m.* tie, attachment

legge *f.* law

lei she, her, you

lento slow

lesinare (lesino) to stint

lesso boiled; *n.* boiled meat

levare (lɛvo) to take away, take off, lift, raise; *refl.* to rise; — l'incomodo to take leave

lì there; **fino lì** to that point

liberamente freely

liberare (libero) to free

libero free

libro book

Lione *f.* Lyons

liquidazione *f.* liquidation, settlement, selling out

lira lira, *a coin worth about twenty cents*

litaccia bad *or* complicated lawsuit

lodare (lɔdo) to praise

lontano far

loro they, them, you, their, theirs, you, yours

lotto lottery; **botteghino del —** lottery shop

lucɛnte shining

lucido bright, shining

lui he, him

luna moon; **mɛzza —** crescent

lungo long; **andar per le lunghe** to delay, beat about the bush, drag things on

luogo place, stead

lusso luxury

M

ma but, why, oh, of course; **ma sì** yes, indeed; **mah** (*variant spelling for* **ma** *when used as interj.*) who knows?

maccao*, **macao** macco

madama madam

madonna Madonna, the Virgin

madre *f.* mother

magnifico splendid

mah *see* ma

mai ever, never; — **più** never, never in the world, no indeed; **caso** — *or* **se** — anyhow, in any case

male badly, unnaturally; *m.* evil, harm; **far —** to be wrong, hurt; — **di tɛsta** headache

malgrado in spite of; **nɔstro —** against our will

malignità malignity, spiteful remark

malinconico melancholy

malo ill, bad; **di mala vɔglia** reluctantly

mamma mamma

mancare to lack; **mancano cinque minuti alle diɛci** it's five minutes to ten

mancino left-handed

mandare to send

mandato order

mano *f.* hand; **alla —** unpretentious

mantɛllo cloak

Maraschi *surname*

maraviglia, meraviglia surprise

maravigliare, meravigliare (—viglio) to astound

marito husband

marsina swallowtail coat, dress suit

Marta Martha

Martino Martin

mascolino masculine

massima maxim, principle

materia matter, subject

matrimonio marriage

mattina morning

matto crazy

me me

meditare (medito) to think, plan

meglio better

memoria memory

mendicare (mendico) to beg

meno less, minus, except

mente f. mind

mentire (mentisco* or mento) to lie

mentisco* or mento

mentore m. mentor

mentre while

meraviglia see maraviglia

meravigliare see maravigliare

mercanzia merchandise

mercato market, deal; a buon — cheap, easily

meritare (merito) to deserve

mese m. month

metro meter

mettere (metto, misi* or messi, messo) to put, place, suppose; non ci mette tempo in mezzo he wastes no time

mezzanotte f. midnight

mezzo middle, half; m. pl. means; essere di — to be involved. See mettere

mezzogiorno noon

mica at all

migliore better

milanese Milanese

milione m. million

mille thousand

minacciare (minaccio) to threaten

minaccioso threatening

minuto minute

mio my, mine

miserando wretched

miseria indigence, misery

missione f. mission

mistero mystery

mobile m. piece of furniture, ware, good-for-nothing

modestamente modestly

modestissimo very modest, ordinary

modo manner, way

moglie f. wife; dar — a to marry

molino see mulino

molto much, very much, very

momentino moment

momento moment; sul — at once; dal — che since

mondo world

montagna mountain

morbido soft

Morena surname

morire (muoio, morto) to die

mormorare (mormoro) to murmur, talk, criticize

mostrare (mostro) to show

motivo motive, reason

moto movement

movere see muovere

movimento movement

mulino*, molino mill

muovere (muovo or movo, mossi, mosso) to move

muraglia wall

muro wall

musica music, band

Mutria surname

N

n' è vero: see non

Narciso Narcissus, handsome fellow

nascere to be born, arise

nascondere (nascondo, nascosi, nascosto) to hide

naturale natural

naturalmente naturally

ne thence; ne va dell' onore honor is at stake

nè neither, nor

necessario necessary

negare (nego) to deny

negoziante m. trader

negozio store, business

nemmeno, non . . . — not even

nero black

nervoso nervous; n. fit of nervousness

nessuno, non . . . — no one, not one

niente nothing; — altro that's all

no no

nobile noble, of noble birth

nobiltà nobility

noi we, us

nome m. name

non not, no; — . . . che only; — . . . più not; n' èvero? isn't that so?

nonno grandfather

nono ninth

norma norm, regulation

nostro our, ours

notaio notary

notare (noto) to note; nota bene please note

notizia notice, news

nozze f. pl. marriage, wedding

nube f. cloud; in — vaguely

nulla, non . . . — nothing

O

o either, or

obbedire to obey

obbiezione see obiezione

obbligare (obbligo) to oblige

obbligo obligation, indebtedness

obiezione*, obbiezione f. objection

occasione f. occasion, opportunity

occhio eye

occorrere (occorro, occorsi, occorso) to be necessary; mi occorre I need

offendere (offendo, offesi, offeso) to offend

offrire (offro, offersi, offerto) to offer

oggi today, this afternoon

ogni every, all

oh oh, oh well, hello; oh bravo! good for you!

olivastro olive-colored

oltraggioso insulting

ombra shade, shadow, trace

onesto honest, honorable

onore m. honor

opera work

opinione *f.* opinion

ora *adv.* now, just now; **or —** just now

ora *n.* hour

oracolo oracle

oramai hereafter, anyhow

orazione *f.* prayer

ordinare (ordino) to order

ordine *m.* order

orecchio ear; porgere — to listen

orgoglio pride

orgoglioso proud

ornamento ornament

oro gold

orologio watch, clock

orrore *m.* horror

osare (oso) to dare

oscurare*, oscurire to grow dark

ospitare (ospito) to give hospitality

osservare (osservo) to observe

osservazione *f.* observation, comment

ottavo eighth

ottenere (ottengo, ottenni) to obtain

otto eight

ove where

ozioso idle

P

padre *m.* father

padrona mistress, landlady

padrone *m.* master; *interj.* welcome

padronissimo quite welcome

paese *m.* country

pagare to pay

pallido pale

panno cloth, clothing, clothes

paragonare (paragono) to compare

parere (paio) to seem, seem so, seem likely

parete *m.* wall

pari equal; — — just like that

parlare to speak

parola word

parte *f.* part, side, share, rôle; in — partly, somewhat

partenza departure, starting

partire to depart, leave, go out

partita quantity, game

partito party, match

Pasca *surname*

passare to pass, pass off, go through, pay, hand, give; passato past, last

passeggiata walk

passeggio promenade, walk

passioncella passing love affair

passione *f.* passion, love affair

passo step; andare di — go at a walk

Pastola *surname*

Pastone *surname*

patata potato

patrimonio patrimony

patto agreement, contract

paura fear

pausa pause

pazienza patience; abbia — pardon me, please, never mind

pazzia madness, nonsense; *pl.* nonsense

pazzo crazy

peggio worse; **alla —** as a last resort

Peirone *surname*

pena pain; **mi fa —** I'm sorry for him

pensare (penso) to think, imagine

pensiero thought, worry

pensieroso thoughtful

pensione *f.* pension, annuity

pensoso pensive, thoughtful

per for, to, through, by, on account of, for the sake of, in favor of, in, on the point of, per

perchè why, because, in order that

perdere (perdo, persi, perso) to lose, ruin; *refl.* to waste time

perdita loss

perdonare (perdono) to pardon

perdono pardon

perfetto perfect

perfino even

pericolo danger

perla pearl, jewel

permettere (permetto, permisi, permesso) to permit; **ε permesso?** may I come in?

però however, for this

perseguitare (perseguito) to pursue, persecute

persona person

personaggio personage

persuadere (persuasi, persuaso) to persuade

pesare (peso) to weigh, annoy

peso weight, burden; **εssere di —** to be a burden

pezzo piece, a long time; **da un —** for a long time

piacere (piaccio) to please; *m.* pleasure; **aver —** to like

piangere to weep

Pianna *surname*

piano smooth, slow, in low tone, slowly

piantare to plant

pianto weeping

piatto plate

piazza public square, market place

picchiare (picchio) to knock

piccolo small, little, short

piede *m.* foot; **su due piedi** at once

piegare (piego) to fold

pieno full

pietà pity, sympathy

Pietro Peter

pigliare (piglio) to take, get; **pigliarsi del** to get called

pisolino nap

più more, many, several; **di —** moreover; **mai —** never, never in the world, no indeed; **sempre —** more and more; **tanto — che** especially as; **non . . . —** no longer, not

po' *abbreviated form of* **poco**

poco little, a little; **a dire —** to say the least; **— naturale** unnatural; **un po'** just, rather; **un po' ladro** something of a thief

poesia poetry

poi then, afterward, after, after all, later

poichè since

Polonia *personal name*

ponte *m.* bridge

porgere (porgo, porsi, porto) to offer; — orecchio to listen

porta door

portare (porto) to carry, bear, bring, wear

portone *m.* large door, street door

posato quiet

possedere (possiedo *or* posseggo) to possess

possibile possible

posto place; siamo a — we are well off; fuori di — out of place, out of the proper light

potere (posso) to be able; non ne posso più I can't stand it any longer

poverino poor fellow

povero poor, wretched, shabby

pranzare to dine

pranzo dinner; sala da — dining-room

preambolo preamble

precedente preceding

predire (*p.p.* predetto) to predict

pregare (prego) to beg, pray

pregiudizio prejudice

prendere (prendo, presi, preso) to take

preparare to prepare

prescritto prescribed

presenza presence

presidente *m.* president

presso near, beside

prestito loan

presto quickly, quick, ready, soon, early

pretesto pretext

pretura district court

prevedere (prevedo) to foresee

prevenire (prevengo, prevenni) to tell, prejudice

prezzo price

prima first, at first, formerly, sooner, rather, before, beforehand, previously; — di before

primavera spring

primo first

primogenitura primogeniture

principio beginning

probabilità probability

probabilmente probably

procacciare (procaccio) to procure, provide

processo lawsuit

procuratore *m.* attorney; — del re public prosecutor

profitto profit

profondo profound

proibire to prohibit, forbid

promessa promise

promettere (prometto, promisi, promesso) to promise

prontissimo quite ready

pronto ready, prompt

proposito purpose

proposta proposal

proprio own; *adv.* really, exactly, precisely, right

prɔsa prose

prosperare (prɔspero) to prosper

prosperoso prosperous, bouncing

provare (prɔvo) to try, prove

provincia province

provvedere (provvedo) to provide, make arrangements

provvedimento provision, plan

prudɛnte prudent

prudɛnza prudence

punto point, stitch; — di arrivo destination; dar punti to sew

pupattola see puppattola

pupillo ward

puppattola*, pupattola doll

pure yet, just, then, also; va' —, di' — go ahead; lascia — never mind

Putra see Brama

Q

qua here

qualche some, any; un — some . . . or other

quale which, such as; tale e — just like it

qualità quality, trait

quando when, if

quanto how much, as much as; tutto— all, entirely, all over

quartiɛre m. apartment, barracks

quarto fourth, quarter

quasi almost, as if, in a manner

quattordicɛsimo fourteenth

quattrino a small coin, cent; pl. money

quattro four

quello that, that one; — là that fellow

quesito problem, question

questi this man, the latter, he

questione*, quistione f. question, affair, legal case

questo this

queue Fr. tail, line, grand march

qui here; di — fin — just so and so

quindici fifteen

quinto fifth

quistione see questione

R

raccapricciare (raccapriccio) to shudder

raccogliere (raccɔlgo, raccɔlsi, raccɔlto) to gather

raccomandare to recommend, request

raccontare (racconto) to tell

ragazza girl

ragazzo boy, child, fellow

raggiungere to rejoin

ragionamento argument

ragionare (ragiono) to argue, reason

ragione f. reason; avere — to be right

ran onomatopoetic word

Ranetti surname

rapido rapid

rattristare to sadden

razza race, rank, family, stock

re m. king; procuratore del re public prosecutor

realizzare to carry out (a plan), cash in

regalare to give, present

regalo present

reggere (reggo, ressi, retto) to hold; *refl.* to steady one's self

registro record, account, account book

rendere (rendo, resi, reso) to give back, render

rendita income

repulisti *see* ripulisti

resistenza resistance

respiro breathing

restare (resto) to remain, stay

resto rest; del — besides, anyhow

retro bottega *m.* back shop

rettitudine *f.* honesty

ricco rich

ricevere (ricevo) to receive, accept

ricominciare (ricomincio) to begin again

riconfermare (riconfermo) to reconfirm, re-elect

riconoscente grateful

riconoscere (riconosco, riconobbi) to recognize, acknowledge

ricordare (ricordo) to remind, recall; *refl.* to remember

ricorrere (ricorro, ricorsi, ricorso) to run again, have recourse to

ricusare to refuse

ridare (rido, ridiedi *or* ridetti) to give back

ridere (risi, riso) to laugh

ridicolo ridiculous

ridurre (*p.p.* ridotto) to make over, reduce

rientrare (rientro) to re-enter, return

rifare (rifo *or* rifaccio, rifeci) to do again, repeat, go over, imitate

rifiuto refusal

rimanere (rimasi) to remain, stay

rimettere (rimetto, rimisi, rimesso) to put back, put off; *refl.* to recover

rimprovero reproach

rincrescere (rincresco, rincrebbi) to grieve, annoy; mi rincresce I regret

rinforzare (rinforzo) to strengthen

ringraziare (ringrazio) to thank

rintanare to hide; *refl.* to hide away

rinunziare (rinunzio) to renounce

rinviare to put off

ripetere (ripeto) to repeat

ripicchiare (ripicchio) to knock again

ripigliare (ripiglio) to seize again

riporre (ripongo, riposi, riposto) to put back, put away

riprendere (riprendo, ripresi, ripreso) to take again

ripugnare to be repugnant

ripulisti*, repulisti *m.* clean up

ripulsivo repellent

risata laughter

risolutamente resolutely

risoluto resolute

risorsa resource

rispettabile respectable

rispettare (rispetto) to respect

rispetto respect, reverence

rispondere (rispondo, risposi, risposto) to answer, meet (an obligation)

risposta answer

ritardo delay, lateness

ritirare to withdraw; refl. to retire; ritirato secluded

ritornare (ritorno) to return, turn around

ritrarre to draw, pull again; refl. to draw back

ritto standing

riturare to stop up

riuscire (riesco) to succeed, turn out, go well

rivedere (rivedo) to see again; a rivederla au revoir

riverente reverent, respectful

riverenza reverence, respect

rivolgere (rivolgo, rivolsi, rivolto) to turn again; refl. to turn, appeal

robusto robust

rosso red, red-headed

Rosso surname

rovesciare (rovescio) to overturn, draw back

rovescio reverse; a — converse

Rovi surname

rubare to steal, cut in (at a dance)

Rubbo surname

S

sacrosanto sacred

sagrestano sacristan

sala large room, parlor; — da pranzo dining-room

salato salty, expensive

salire to rise, come up, mount, get into; — in carrozza to take a carriage

saltare to jump, skip; far — to dandle; far — le carte to cheat at cards

salutare to greet, see, bow to

san apocopated form of santo

sancire to confirm

sangue m. blood

santo holy; n. saint

sapere (so, seppi) to know, know how, be able, manage, hear; — fare i conti to understand business affairs; si sa it's understood, it is to be expected, of course

sbagliare (sbaglio) to blunder

sbeffeggiare (sbeffeggio) to laugh at

sbrigare to dispose of speedily, handle; refl. to free one's self

scala stairway

scaldare to warm

scampanellata ring of the bell

scapito loss

scapolo bachelor

scappare to run away, skip, escape

Scarli surname

scatola box

scattare to spring, jump

scegliere (scelgo, scelsi, scelto) to choose

scemare (scemo) to diminish

scena scene

scenata (violent) scene

scendere (scendo, scesi, sceso) to descend, come down

scherzare (scherzo) to jest

schiaffeggiare (schiaffeggio) to slap

sciabolata saber thrust

scialle *m.* shawl

scioccamente foolishly

sciogliere (sciolgo, sciolsi, sciolto) to loosen, release, free

sciupare to spoil, waste

sciupona extravagant woman

scompagno da not matching

sconsigliare (sconsiglio) di to advise against

sconveniente unbecoming, impolite

scoperta discovery

scoppiare (scoppio) to burst out

scoprire (scopro, scopersi, scoperto) to uncover, discover

scorare (scoro) to dishearten

scorciatoia short cut

scordare (scordo) to forget

scorgere (scorgo, scorsi, scorto) to observe

scorno shame

scrittura writing; — d'obbligo recognition of indebtedness

scrivere to write

scroccone *m.* sponger, parasite

scrupolo scruple

scultore *m.* sculptor

scuola school

scusa excuse

scusare to excuse, pardon, apologize

sdegnoso disdainful

se *conj.* if, whether, why; **se mai** anyhow, in any case

sè one's self, himself, herself, itself, yourself, themselves, yourselves

seccare (secco) to dry, bore, annoy

secondo second

sedere (siedo* *or* seggo) to sit, sit down, be seated

sedia chair

sedurre (*p.p.* sedotto) to seduce

segno sign; a — rightly, to the point

segreto secret, secrecy

seguire (seguo) to follow

seguitare (seguito) to continue, keep on

sei six

sembrare (sembro) to seem

semplicemente simply

semplicissimo most simple

sempre always; — più more and more

senso sense

sentenza maxim, old saw

sentimento sentiment, affection

sentire (sento) to feel, hear, see, find out, get the opinion of; **stare a** — to listen

senza, — di without; — altro simply

Sequis *surname*

sera evening

serbo reserve; in — aside

serio serious

serva servant

servigio *see* servizio

servire (servo) to serve; non — a nulla to be worthless

servizio*, servigio service

sesto sixth

seta silk

sette seven; *m.* tear (in cloth)

settimo seventh

sfatto degenerate

sfida challenge

sfidare to challenge

sfondare (sfondo) to break through

sforzare (sforzo) to force

sgobbare (sgobbo) to grind, slave

sguardo look

sì yes, indeed, certainly, oh; sì che surely, certainly; eh sì! oh pshaw! oh sì! oh come now! sì che starò bene I *shall* be well off

siccome as, since

sicurezza certainty

sicuro sure; *interj.* of course

signora Madam, lady, mistress of the house

signore *m.* gentleman, rich man, Mr.

silenzio silence

simile like, similar

sindacare (síndaco) to blame, find fault with

singhiozzare (singhiozzo) to sob

sinistro left

sissignora yes ma'am

smesso cast off

soccorrere (soccorro, soccorsi, soccorso) — a to succor, help

socio member

sofà *m.* sofa

soffitto ceiling

soggetto subject; cattivo — bad lot

soggezione *f.* subjection, nervousness, embarrassment, awe

sognare (sogno) to dream, dream of

solamente only

soldo penny, cent

solerte diligent

solito usual

sollecitudine *f.* solicitude, importunity

solo alone, only

somma sum

sopra, — di on, upon

sorprendere (sorprendo, sorpresi, sorpreso) to surprise

sorridere (sorrisi, sorriso) to smile

sorriso smile

sospettare (sospetto) to suspect

sospetto suspicion

sospirare to sigh, sigh for

sossopra *see* sottosopra

sostegno support; in mio — to help me

sostenere (sostɛngo, sostenni) to support, sustain

sostituto deputy

sottile slender, subtle

sotto under; di — below

sottosopra*, sossopra upside down

spacconata display, splurge

spallina epaulette

spandere to spread out

spartire to divide up, share

spaventare (spavɛnto) to frighten

specialmente especially

speranza hope, expectation

sperare (spɛro) to hope, hope for

sperlongone see spilungone

sperone see sprone

spesa expense; far la — to do the marketing

spesso often

spiacere (spiaccio) to displease; mi spiace I regret

spiantato penniless beggar

spiegare (spiɛgo) to explain

spillo pin; pl. pin money

spilungone*, sperlongone m. lanky chap

spirito spirit, wit

spontaneo spontaneous, unasked

sposare (spɔso) to marry

spregevole despicable

sprone*, sperone m. spur

sst hist, hush

stagione f. season

stamane this morning

stamattina this morning

stancare to tire, exhaust

stanco tired

stanotte last night

stare (stɔ, stɛtti) to stand, be, sit, keep, happen, look; starci to be willing, be game; — a dozzina to board; — a sentire to listen; lascia — never mind

stasera this evening

stato state, state of mind, position, adequate fortune

stentare (stɛnto) to have difficulty, have a hard time, tòil

stesso same, self; lo — just the same

storia history, story

stoviglie f. pl. crockery, dishes

strada street

strano strange

strapagare to pay dear

strappare to tear away

strappo tear, jerk

stravɔlto distorted, haggard, drawn

strepitare (strɛpito) to insist noisily, make a fuss

stringere (p.p. stretto) to press

studio study, office

stupire to astonish, amaze

su on, up; su di upon; star sulle sue to stand on one's dignity

subdolo crafty, treacherous

subitamente suddenly

subito at once, right off; — che since

succedere (succɛdo, successi, succɛsso) to succeed, happen

suggerire to suggest

suo his, her, its, your

suono sound

supplicare (supplico) to entreat

supplichevole suppliant

supplire to supply, come to the rescue

svegliare (sveglio) to awaken

sviare to throw off the track

T

tacere (taccio) to be silent

tagliare (taglio) to cut, cut out for; — la testa al toro to settle the whole thing

taglio cut; — d'abito piece of cloth (for a dress)

tale such; — e quale just like it

tanto so much, much, anyhow; — più che especially as

tappezzare (tappezzo) to paper

tardare to linger, be long, be late

tardi late; far — to be out or stay up late

tarocchi m. pl. tarot

tarocchista m. tarot-player

tavola table

te you

tela cloth, curtain

temere (temo) to fear

tempo time

tenace tenacious

tenente m. lieutenant

tenere (tengo, tenni) to hold, have, keep; — dietro a to keep up with

tenerezza affection

tenero tender, tender-hearted

terra ground

terribile terrible

terrore f. terror

terzo third

testa head; avere la — via to have lost one's wits; mal di — headache. See tagliare

tinello tub, servants' hall, butler's pantry

tirare to pull, draw; — innanzi go ahead, continue

titolo title

toccare (tocco) touch, concern, cash in; toccarle or toccarne to get the worst of it; quanto mi tocca my share; gli tocca it's his turn, it's up to him

tono tone

tormentare (tormento) to torment, plague; refl. to worry

tormento torment

tornare (torno) to return, go back, come out right; vado e torno I'll be right back

toro bull. See tagliare

torto wrong; avere — to be wrong, make a mistake; dar — a uno to say that one is wrong

tortura torture

tovaglia table cloth

tradire to betray, be unfaithful to

tranquillità calm, peace

tranquillo calm, quiet, unconcerned

trascinare to drag, drag along

trasognato in a dream

trattare to treat; **trattarsi di**
to be a question of

trattenere (**trattɛngo, trat-
tenni**) to stop; *refl.* to stay

tratto distance, moment,
stroke; **d'un**—suddenly

tre three

tredicɛsimo thirteenth

tremare (**trɛmo**) tremble

trenta thirty

tribunale *m.* court

trionfare (**trionfo**) to triumph

tristamente*,   tristemente,
sadly

triste sad, unhappy

tristemente *see* **tristamente**

troncare (**tronco**) to cut, cut
short

trɔppo too, too much

trɔtto trot

trovare (**trɔvo**) to find, think;
refl. to be

truffa fraud

tu you, yourself

tuo your, yours

turare to stop up

turchino azure

turno turn

tutto all, entire, whole; —
quanto all, entirely, all over;
anzi — first of all; **del** —
entirely; **tutti e due** both

U

uccidere (**uccisi, ucciso**) to kill

udiɛnza hearing

ufficiale official; *m.* officer

uh oh, ah

ultimo last

umiliare (**umilio**) to humiliate,
mortify

undɛcimo eleventh

undici eleven

unico unique, single, only

uno one, a man

uɔmo man

urgɛnza urgency

usare to use, wear out; **si usa**
it's customary

uscio door

usciɔlo small door

uscire (ɛsco) to go out, result,
issue

usuraio usurer

utile useful

V

vacanza vacation

valere to be worth; **tanto vale**
it's just as well

valore *m.* value

vampa flash

vanità vanity, emptiness, nonsense

vario various; *pl.* several

Vasco *surname*

vɛcchio old

vedere (**vedo**) to see; **far** —
to show; **che ci ha (che)**
—? what has he to do
with it? **veh** (*variant spelling for* **ve'**, *abbreviated form
of* **vedi** *used as interjection*)
mind you

vɛgeto hale and hearty

veh *see* **vedere**

veleno poison